여행
식탁
사랑

장연지 에세이

아무것도 되지 않아서 슬픈 순간도 있었지만, 아무것도 되지 않아서 여전히 꿈을 꿀 수 있음에 좋았던 순간들도 많았습니다.

새 학기마다 종이에 적던 장래희망보다 더 중요한 것은, 어떤 삶을 살고 싶은지 생각하는 것이었습니다. 무엇이 되고 싶냐는 질문에는 많은 답을 하며 살아왔지만, 어떤 삶을 살고 싶냐는 질문에는 어떤 답을 해야 하는지 연습해 본 적이 없었던 것 같아요.

삶은 쉽지 않고 무엇이 어떻게 꼬여버린 것인지 알 수 없던 때가 사실 대부분이지만 삶은 참 근사하기도 합니다.

좋아하는 일만 하며 살 수는 없지만, 좋아하는 일이 무엇인지는 알며 살고 싶었습니다. 내가 무엇을 좋아하고, 내 마음이 무엇을 말하는지 알고 싶어 저를 향한 여행을 오랜 시간 해왔습니다. 저의 삶을 이루는 것 그리고 가장 좋아하는 것은 여행, 식탁, 사랑이었습니다.

낯설고 새로운 풍경으로 떠나는 일, 그리고 그 속에서 익숙한 것들을 만들어 가는 일, 별것 아닌 일도 별일이 되는 일, 누군가의 일상을 통해 나의 일상을 더 소중히 여기게 되는 일이 제게는 여행이었습니다.

정성껏 요리해 식탁을 채우는 일, 좋은 사람들과 밤이 깊도록 음식과 이야기를 나누는 일, 그 속에서 깊어져 가는 우리의 삶과 관계를 바라보는 곳이 제게는 식탁이었습니다.

사랑하는 일은 여전히 가장 어려운 일이지만 저는 사랑을 사랑합니다.

사랑은 누군가의 세계를 이루기도, 세상이 되기도, 누군가의 말처럼 우주가 되기도 합니다. 어떤 일도 타인의 세계와 세상, 우주가 되는 일은 없는 것 같아요.

세상에 중요하지 않은 일은 어떤 것도 없지만 사랑이 모든 일 중 가장 큰일이라고 생각합니다. 그래서 오늘도 사랑을 꿈꾸고, 사랑에 사랑을 보냅니다.

세상에 영원한 것은 어떤 것도 없기에 어떤 사랑도 끝이 있겠지요. 하지만 끝을 바라보고 시작하지 못하는 사랑은 슬픕니다.

그래서 저는 사랑에 있어서는 모든 마음을 낭비하기로 합니다. 적당히 사랑하고, 상처받지 않을 만큼만 마음을 잘라두는 일은 슬픈 일이지 않을까요.

삶을 채우는 것들, 여전히 좋아하는 것들, 삶이 좋아지는 이유를 말하기 위해 빼놓을 수 없는 것들을 이야기하려 합니다. 특별할 것이 없는 저의 삶과 생각들이지만 누군가의 마음에 닿을 수 있다면, 어떤 이에게 위로가 될 수 있다면 제 삶에 이것보다 더 큰 위로가 있을까 생각합니다.

꼭 어딘가로 멀리 떠나지 않아도 삶을 여행할 수 있다면,
식탁에서 만난 우리들이 깊어져 간다면,
사랑을 사랑할 수 있다면 아마도 제 삶은 충분할 것 같습니다.

차례

2부

식탁과 우리

3부
사랑과 마음

일러두기

작가 특유의 문체와 글맛을 위해 비문이 포함되어 있습니다.

1부

여행과 삶

산책을 좋아해요

편한 옷을 대충 껴입은 뒤, 이어폰은 빠뜨리지 않고 챙긴다. 때로는 일상의 소음 안에서 걷고 싶은 날도 있지만, 보통은 좋아하는 음악을 들으며 걷는 것이 좋다.

생각이 많고 머리가 복잡할 때는 조용한 아침에 동네를 걷는다. 아직 문이 열리지 않은 가게들을 하나씩 지나고, 하루를 일찍 시작하는 가게들을 지나기도 한다. 늦은 새벽까지 많은 사람들이 오갔을 가게도 이제야 잠에 든 것 같다. 모두가 다르게 흘러가지만 자신만의 시간대로 살아가는 모습을 보며 용기를 낸 적이 있다. 나에게도 나의 시간이 있는 것이라고 되뇌었다.

이런저런 생각들이 나를 어지럽힐 때 혼자 산책길에 주로 올랐다면, 혼자가 아닐 때는 얘기가 조금 달라진다. "우리 좀 걸을까요?" 하는 말을 들으면 설레기 마련이다. 걷는 것을 싫어하는 사람이라면 고통스러운 이야기가 될 수도 있지만. 걷는 것을 좋아하는 나에게는 뭔가 낭만적인 일로 여겨진다. 좋아하는 일을 함께 하자는 것이니까.

누군가와 함께 하는 산책이라면 아무래도 아침 시간보다는 해 질 녘이 좋겠다. 5-6시쯤으로 정해야겠다. 누군가 왜 하필 5-6시인지 묻는다면 그 시간이 주는 어스름이 좋다고 대답하겠다. 설렘도, 마음도 쨍하게 밝은 낮보다는 이때가 조금 덜 쑥스러우니까.

혼자 걷듯 마냥 빨리 걸을 수는 없으니 박자를 맞추어 걷기로 한다. 걸음이 빠른 편이라 별 생각 없이 걷는 행위에만 집중하며 걷다가는 낭만을 제 발로 걷어차는 불상사가 일어날 수 있다. 실제로도 그랬다. 지난날의 나는 왠 경보를 한 걸까.

역시나 모든 일에는 경험만 한 게 없다. 그 후로는 '천천히 걷자, 제발 천천히 걷자!' 스스로에게 말하며 걸으려고 노력한다. 낭만, 낭만 노래를 부르는 사람이 낭만을 제 발로 걷어차는 일은 다시는 없기를 바라며 말이다.

누군가와 함께 했던 시간을 떠올릴 때 오래 기억에 남아있고 가슴이 뛰는 일은 함께 산책하는 순간이었다. 그게 누구였든, 그 계절이 언제였든 말이다.

봄이면 덥지도 춥지도 않아서 걷기 좋았고, 여름이면 더위가 내려앉은 초저녁에 여린 바람이 불어와 계절에 고마워했었다. 이 저녁이 길었으면 좋겠다고 생각했다. 가을이면 함께 밟는 낙엽이 바스락 소리를 낼 때 같은 길을 걷고 있다는 생각에 좋았고, 겨울이면 손끝이 차갑지만 따뜻한 그의 손이 있어 좋았다.

당신과 함께 산책을 하던 그곳을 지날 때면 나는 그때를 떠올린다. 우리가 다시 그곳을 거닐 날은 오지 않겠지만, 이따금씩 그때가 생각이 난다.

그때의 시절에 안녕을 보내며, 당신에게 안부를 전합니다.

꽃이 있는 곳에는 사랑이 있었다

여행지에서는 마음이 조금은 느슨해지고, 꽤 많은 것들이 여유로워지고 너그러워진다.

여행 중에 길을 걷다 꽃을 발견하면 당장 꽂을 화병이 없는데도 냉큼 사게 될 때가 있다. 커피 컵을 깨끗하게 씻어 물을 담고 꽃을 꽂는다. 그것만으로도 여행이 여행다워진다.

지난 여행에서 좋았던 것 중 한 가지는 늘 꽃이 가까이 있다는 것이었다. 장을 보러 마트에 가면 들어서자마자 꽃이 있어 아름다움에 빠져 한참을 구경했다. 여기서 나는 '꽃멍'을 많이 때렸다. 그러다가 마음에 드는 꽃을 발견하면 카트에 담았다. 저녁을 먹을 토마토 파스타 재료는 될 수 없지만 하루를 채우는 재료가 된다. 장을 보는 내내 꽃과 함께 했다. 참 예쁜 일이었다.

뉴욕 유니온 스퀘어 그린 마켓을 구경하다 꽃을 파는 곳을 발견했다. 옆에는 'celebrate love with flowers'라는 말이 적혀있었다. 아름다운 말이었다. 사랑이 사랑다운 곳이었다.

발렌타인데이에는 꽃을 파는 어디든 줄을 길게 서 있었다. 그들의 사랑에는 늘 꽃이 있었고, 꽃이 있는 곳에는 늘 사랑이 있어 좋았다.

특별한 날이 아니더라도 꽃을 사면 특별한 날이 되는 게 좋았다. 하루를 충만하게 채우는 느낌이 들기에 충분했다.

꽃은 마음과 함께 보내어진다. 누군가의 어떤 날을 축하할 때도, 사랑하는 사람과의 어떤 날을 기념할 때도, 고마움을 표현할 때도. 아름다운 것을 좋은 사람에게 주고 싶은 마음은 여전하다. 그래서 꽃은 줄 때나 받을 때 모두 행복했고 설렜다.

꽃을 건넸던 좋은 사람들과 꽃을 선물 받았던 좋은 사람들을 떠올린다. 사랑 속에 꽃이 피었고 마음 안에 있던 순간을 기억하고 싶다. 그립다는 말도, 사실은 아주 많이 보고 싶다는 말도 슬픔이 될까 아낀다. 그리움이라는 말이 슬픔이 되지는 않았으면 해서, 그리움이 그리움이었으면 해서. 지난 시절에, 그때의 사람들에게 지금 이 자리에서 마음을 보낼 뿐이다.

좋아하는 마트리카리아의 꽃말은 역경에 굴하지 않는 강인함이라고 한다. 소중한 사람에게 건네는 위로다. 누군가 내게 주었던 위로처럼, 어쩌면 마트리카리아를 볼 때마다 소중한 사람을 떠올리며 그리워할 것 같다. 당신이 어디서, 무얼 하든 위로를 건넨다.

여름의 유럽

뜨거웠던 7월의 유럽을 견딜 수 있었던 건 납작 복숭아와 맥주 덕분이라고 해도 과언이 아니었다. 하루 내내 걷다 보면 끼니를 챙기지 못할 때가 꽤 많았다. 먹는 것에 진심인 나에게도 여행자가 되니 이런 일이 있었다.

하루는 파리의 바토무슈 유람선을 타기 위해 조금 여유롭게 선착장에 갔다. 그런데 주변을 아무리 돌아봐도 저녁을 먹을 곳이 마땅치 않았다. 선택지는 없었다. 유일하게 문이 열려있던 가게에 들어갔다. 그린 올리브 한 접시와 맥주로 저녁을 대신했다. 마시는 탄수화물인 맥주는 쌀밥 같은 포만감을 주었고, 불행인지 다행인지 그날 저녁은 배가 불렀다. 그날부터 이런 식의 저녁을 꽤 자주 먹게 되었다.

자비 없는 뜨거운 햇볕, 물만큼 저렴한 맥주 가격을 생각하면 여름의 유럽은 방법이 없었다. 더위에 입맛을 잃고, 걷다가 보면 밥때를 놓치고, 배가 슬슬 고파서 밥을 먹으려고 하면 문을 여는 곳은 없는 식이었다. 이런저런 이유로 한국에서 쌀을 먹듯 유럽에서는 맥주를 마셨다.

그리고 납작 복숭아가 보일 때는 하나씩 사서 먹었다. 한입에 꽉 차게 들어가는 복숭아는 과즙이 풍부했고 맛은 훌륭했다. 슈퍼에서 하나씩 사서 옷에 쓱 닦아 먹는 맛을 잊을 수가 없다.

같은 해 여름, 타파스의 나라 스페인을 여행했다. 이것저것 맛보기를 좋아하는 나에게는 최고의 여행지였다. 과하지 않지만 맛있게 배를 채울 수 있어 여름날의 식사로 제격이었다. 여행자뿐 아니라 현지인으로도 늘 가득한 타파스 바에 방문했다. 의자는 없다. 모두가 서서 맥주를 마시거나 타파스를 즐긴다. 아무래도 맛집임에 틀림없다는 생각을 했다. 바삭한 바게트 위에 차가운 연어가 올려진 타파스는 맥주의 짝꿍으로 환상이었다. 연어 외에도 홍합, 오징어 등의 다양한 해산물들이 준비되어 있었다. 특이하게 이 모든 해산물이 통조림이었다. 이날부터 스페인에서 마트를 다닐 때마다 통조림 코너에 기웃거렸다. 그곳에서 유명하다는 흑맥주를 시켜 타파스와 즐겼다. 시원한 맥주 한 모금과 타파스를 먹는 순간 더위와 피로가 싹 내려가는 것 같았다. 여름의 맛이었다.

여름의 유럽은 좀처럼 어둠이 오지 않는다. 뜨거운 햇볕을 피하기 위해 낮잠을 자기도 하고, 나무 그늘 아래서 시간을 보내기도 한다.

이것저것 보고 싶은 것도, 먹고 싶은 것도 많은 여행자에게 여름은 너그러이 기다려주는 좋은 계절이다. 하루의 일정을 빽빽하게 소화해 낼 필요가 없는 계절이다. 저녁 6시에도, 7시에도 밝으니까.

여름의 유럽이 좋은 점은 맥주를 맛있게 마실 수 있다는 것, 여행을 여유롭게 할 수 있다는 것, 납작 복숭아를 먹을 수 있다는 것. 반대로는 아이스 아메리카노를 마시기 힘든 것이다.

카페에서 간혹 실수로 '따뜻한 아이스 아메리카노'를 주문한다는 이야기를 들은 적이 있다. 어쩌면 유럽에서는 실수가 아닐 수도 있다는 재미난 사실이다. 겨울에도 아이스커피를 먹는 한국인들에게 다소 힘든 계절이 될 수 있겠다. 방법이 아예 없진 않았는데, 한국에서 먹던 얼음이 가득한 아이스 아메리카노를 상상해서는 안 된다. 커피에 얼음을 몇 개 띄우는 정도로, 조금 덜 뜨겁고 조금 덜 시원하게. 진정한 따뜻한 아이스 아메리카노를 즐길 수 있다.

아무렴 얼음 가득한 아이스 아메리카노를 먹지 못하더라도 여름의 유럽이 그립다. 시원한 맥주 한 모금을 할 수 있다면, 어둠을 잊은 저녁 7시의 여행을 할 수 있다면, 달콤한 납작 복숭아를 입안 가득 먹을 수 있다면.

검색창에 '성시경 콘서트 혼자'를 검색했다

검색창에 '성시경 콘서트 혼자'를 검색했다. 혼자 갈지도 모르는, 혼자라도 가겠다는 마음을 어찌할 수가 없었다. 마음의 안정과 위로를 얻기 위함일지도 모르겠다. 나처럼 혼자서도 갔던 사람들이 있는지 봤다. 많았다. 다행이었다.

며칠 전, 친구들과 동시에 티켓팅에 도전했지만 단 한 장도 성공하지 못했다. 어느 새벽에 '예매 대기' 시스템으로 기대 없이 자리를 걸어뒀다가 잠에 들었다. 그리고 지난밤 어떤 일을 했는지도 잊고 있던 아침에 예매 대기 확정 문자가 왔다. 아, 나 정말 간다. 됐다!

성시경 님의 노래를 좋아한다. 특히 찬 바람이 불기 시작하는 가을이면 '성시경 플레이 리스트'를 반복한다. 카페에서 디저트를 잔뜩 구워 손님을 기다리는 시간에 틀어두면 감미롭기 그지없었다. 게다가 비가 내리는 날이면 무조건이었다. 손님들의 발길이 뜸하기 쉬운 날씨였지만 성시경 노래를 듣기에는 좋은 날이었다. 흥얼거리다 하루를 마감하고는 했다.

언젠가는 꼭 성시경 콘서트에 갈 것이라 마음먹었지만 번번이 쉽지 않았다. 음악을 좋아해서 혼자서 콘서트를 자주 간다. 슬픈 핑계는 아니고 영화든 콘서트든 혼자일 때 집중하는 정도가 다르다. 물론 같이 봐야 좋은 것도 있지만. 이런 나를 안쓰럽게 보던 엄마는 혼자 무슨 재미로 가냐, 서글프게 왜 그러냐는 말을 종종 했다. 그러면 나는 "엄마, 공연은 혼자 볼 때 진짜 즐길 수 있다니까."라고 자신 있게 말했지만, 그랬던 나도 성시경 콘서트는 도저히 안될 것 같았다. 정말 사랑하는 사람이 생기면 같이 가겠다고 다짐하고는 한 번을 못 갔다. 슬픈 이야기가 아닐 수 없다. 이제 더는 미룰 수 없겠다 싶었던 나는 행동을 개시했다.

옆자리에는 친구끼리 온 여성 두 분과 대기 시간에 과제를 하는 대학생이 앉았다. 그사이 혼자 앉은 여성(나)은 은근한 안도감에 마음이 편안해졌다. 좋아하는 노래를 잔뜩 들으니 너무 행복해서 잠시 시간이 멈춰버렸으면 좋겠다고 생각하기도 했다. 노래가 끝이 난 후, 이대로 시간이 멈춰버렸으면 좋겠다는 생각을 했다던 그의 이야기를 듣고서는 관객 모두가 마음이 통했다고 느끼지 않았을까. 역시 음악은 마음이 오가는 일이다.

사랑을 얘기하는 공연에 혼자 오는 용기, 주눅 들지 않고 두 손을 모으며 듣다가 눈물을 글썽이고 박수 치고 소리 지르며 춤을 추는 내가 꽤나 멋있었다.

해보기 전에는 도무지 안될 것 같다가도 하고 나면 생각보다 별것 아닌 일들이 많다. 그런 일들 중 하나를 오늘 해냈다. 다시 돌아가면 혼자 조금 더 빨리 시경 오빠 공연에 갔을지도 모르겠다.(이게 그렇게 얘기가 된다고?)

파리는 파리였다

살인적인 물가로 악명 높은 파리 여행을 앞두고 숙소를 알아보던 중이었다. 우리는 여행자의 신분이었고, 파리 외에도 가야 할 여행지가 많아 예산이 빠듯했다. 기대하는 수준의 숙소를 저렴한 가격으로 구하기는 어려웠다. 에펠탑 근처 숙소들은 특히나 비싼 것을 알았지만, 파리를 가는 많은 이들의 로망인 에펠탑을 우리 역시도 외면할 수 없었다. 그곳의 아름다움에 눈이 멀어 매일 오갈 수도 있다는 생각으로 결국 에펠탑 근처 숙소를 구했다.

오랜 시간 끝에 저렴한 가격으로 구한 방은 복도부터 왠지 모를 스산함이 느껴졌다. 하얀 복도를 지나 기대 반 두려움 반으로 방문을 열었다. 좁은 방 한 칸이라는 것은 이미 알고 있던 사실이었다. (에어비앤비 사이트에서 이 방을 소개할 때 cozy room이라고 소개했다.)
칸막이조차 없이 변기가 놓여있으며 방 안에 투명한 샤워부스만 덩그러니 설치된 풍경을 몰랐던 것은 아니지만, 사진으로 보던 것보다 실제는 더 굉장했다. 우리는 헛웃음을 지었다. 생각했던 것 이상으로 충격적인 장면이었다. 에펠탑 앞에서라면 하루 정도의 고생은 괜찮다는 생각으로 시작된 우리의 호기로움은 사라졌다. 예산이 아무리 빠듯해도 이건 아니라는 생각이 들었다. 옆방에서 들려오는 알아들을 수 없는 말들과 방 안에는 금방이라도 무언가 튀어나올 것만 같은 불안함, 잠금장치가 없는 창문까지도. 모든 것이 우리에게 공포감을 주었고 우린 결국 다시 짐을 싸서 나왔다.

충격의 방에서 황급히 나온 우리는 새로운 숙소를 찾아야 했다. 그때는 해가 저물 즈음이었으므로 시간이 많지 않았다. 일단 와이파이가 있는 곳을 찾아야 했다. 눈앞에 보였던 곳이 맥도날드였다. 세계 어디를 가도 스타벅스와 맥도날드가 있으면 일단 안심이 되는 것은 여행자들의 마음 아닐까? 낯선 여행지에서도 익숙한 브랜드를 보면 마음 한편이 편안해진다. 그저 그곳에 있다는 것만으로도 위로가 된다면 진정한 위로가 아닐까.

안정감을 주는 맥도날드에서 햄버거를 먹으며 한 검색은 성공적이었다. 새로 찾은 숙소는 안락하고 위치도 나쁘지 않았다. 새로운 방에 들어선 순간 우리는 모든 긴장이 풀렸다. 지금까지 그래왔던 것처럼 암울한 파리 여행은 아닐 것이라는 생각이 들었다. 언젠가 이때를 추억하면 웃을 수 있을 것이라는 위로의 말도 새로운 방에 들어가 마음이 놓이고 나서야 할 수 있었다. 짐을 풀고 쉬다가 에펠탑을 보러 나갔다.

그날부터 하루의 끝은 에펠탑이었다. 에펠탑에 오기 위해 이렇게나 굉장했던 하루가 있었다고 생각하니 그럴만하다는 생각도 들었다. 우리의 소란과는 다르게 에펠탑은 제 자리에서 조용히 반짝이고 있었다. 존재의 아름다움을 바라보는 수많은 시선들이 있었다.

센강 주변에는 사람들이 와인을 마시며 이야기를 나누고 있었다. 더위가 사라진 해 질 녘, 어스름한 붉은빛이 물들었다. 이곳이 파리구나 생각했다. 아름다움은 각자의 자리에서 그렇게 빛이 나고 있었다.

익숙한 향기

익숙한 향기를 맡으면 긴장이 풀리고 마음이 편안해진다. 잠에서 깬 아기가 낯선 느낌에 울음을 터뜨리다 엄마 품에 안겨 울음을 그치는 것도 그런 이유 때문이다. 기억하는 익숙한 향기는 마음을 놓이게 한다.

그와 헤어지고 시간이 꽤 지나서였다. 헤어지고 일 년을 무탈하게 지내왔다는 기념인지, 괜히 마음이 헛헛해서인지 알 수는 없지만 그에게서 연락이 왔다. 구 남친 타임 새벽 2시, 구 남친 단골 멘트 "자니?"는 아니었다. 상상 이상 천연덕스러운 연락에 당황한 쪽은 나였다. 뭐라고 왔던지 기억이 잘 나지는 않지만, 그와 나는 일 년 만에 재회 아닌 재회를 하게 되었다. 우연이 아닌 약속을 잡고 옛 연인을 만난다는 것은 왠지 모르게 긴장되고 묘한 설렘 같은 것도 느껴졌다.

오랜만에 그의 차에 탔다. 더 이상 '우리'가 아닌 '그'와 '나'에게 있었던 공백만큼 같이 있는 공간에서 주는 적막함은 생각보다 컸다. 누구라도 말을 해야만 할 것 같은 어색함에 허공만 올려다봤다. 꺼낼 말들이 공기 중에 떠다녀 붙잡기라도 할 것처럼.

그, 그와의 공간, 그의 말. 그에게서 나오는 대부분의 것들은 낯설었다. 달라진 거리감을 실감했다. 가장 가까웠던 무언가가 가장 멀어진 기분이 들었다. 그와 있는 공간이 낯설어 잠에서 깬 아기처럼 눈물이 날 것 같았다. 엄마처럼 나를 안아줄 사람은 없다는 사실을 알고 있었다.
나는 태연했어야 했다. 숨소리마저도 어색할까 눈치 보던 숨 막히는 공간에서 보이지 않는 어떤 익숙함이 느껴졌다.
그의 향기였다. 손을 잡고 나란히 걷다 보면 바람에 당신의 향기가 실려왔다. 당신의 품에서는 나를 설레게도 하고, 편안하게 해주는 향기가 느껴졌다. 나는 당신의 향기가 좋았다. 아마도 당신이 참 좋았기 때문이겠지.

가까웠던 무언가가 멀어지는 일들이 많아지고, 그런 것들에 익숙해져가는 게 삶이라면 삶일지도 모르겠다. 그를 다시 만나지 말았어야 했다고 생각하지는 않는다. 이렇게 종종 만나 밥도 먹고 좋은 관계로 지냈으면 좋겠다는 얘기를 들으며 예전처럼 "좋아요." 하고 싱긋 웃지 않아 다행이라고 생각했다.

그 후로 다시 그를 만날 일은 없었다. 내게 쿨하지 않냐며 이전 관계로 돌아가길 원하는 사람에게 나의 쿨함을 부정하며 관계를 정리했다. 사랑'했'던 사람까지 더해 친구를 늘리고 싶은 마음은 없었다.

남겨두어야 좋은 것들이 있다는 것도 알게 됐다. 여전함으로 곁에 있어 주기를 바라는 것보다, 때로는 그 시절을 시절로 보낼 수 있어야만 한다는 것을.

알아? 쿨한 것은 바로 이런 것이란다.

아무리 좋아도 그렇지

여름을 좋아하게 되었다. 뜨거움 한도 초과 대프리카(*지나치게 더운 대구의 날씨를 대구+아프리카로 표현한 말)에 살면서 여름을 좋아한다고? 의아할 수 있겠지만, 사실 대구에서 여름을 나지 않은 지 몇 년이 흐르고부터 좋아한 것을 고백한다.

여름을 좋아하게 된 가장 큰 이유는 김신회 작가의 〈아무튼, 여름〉이라는 책과 정유미, 최우식 배우가 출연한 〈여름 방학〉 프로그램 덕분이다. 여름은 사랑받기 마땅하다는 것을 말해주는 글을 읽으며 여름이 조금씩 좋아지고 자꾸 설레었다. 여름 방학을 보면서는 여름의 색깔들이 잔뜩 담긴 누군가의 하루를 들여다보는 것만 같아 기분이 좋아졌다.

여름을 위한 핫바디는 좀처럼 준비되지 않고, 물놀이와는 거리가 멀지만 나는 여름이 좋다. 가장 좋아하는 참외와 복숭아가 있는 계절이라는 점도 여름을 좋아하는 이유에서 뺄 수 없다.

여담이지만 여름에는 바다, 겨울에는 스케이트 장을 가면 꼭 관심이라는 것이 피어나는 장소였다. (너무 옛날이야기 같지만 내가 어릴 때는 그랬다.) 여럿이서 가더라도 꼭 서로 관심이 있는 친구들끼리 장난을 치곤했다. 스케이트 장에서는 손을 잡고 끌어주거나 등을 살짝 밀어주는 일련의 행동들이 일어났다. 바다에서 귀엽게는 물을 살짝살짝 튕기고 조금 더는 몸을 들어 물에 빠뜨리는 행동들로. 그러나 나는 일단 발이 닿지 않으면 굉장한 위험을 느낀다. 물을 정말 무서워한다. 아무튼 그때부터는 가까이에 있는 무엇이든 일단 잡고 보는 본능이 나오는데, 이때부터 로맨스고 뭐고 없다. 로맨스가 적용되기에는 아무래도 바다보다는 스케이트장이 나았다.

지난여름에는 누구도 시키지 않았지만 서핑을 해보고 싶었다. 서핑 강습을 예약하기 전부터 나는 내가 못 할 걸 알았다. 슬픈 예감은 왜 틀린 적이 없냐는 말도 해당이 되지 않았다. 예감부터 확실했다. 불안하지도 않았다. 마땅히 해내지 못할 것을 너무나도 잘 알았기 때문이다. 파도를 타기는커녕 물만 실컷 먹다 올 것이라는 것도 알았다.

좋아하면 알고 싶고 경험하고 싶다. 그래서 잘하지 못할 일도 기꺼이 해보고 싶었다. 하지만 이런 도전 정신이 누군가를 힘들게 하는 일이라면 다시 생각해 봤어야 했다. 물이 무서워 거의 울다시피 바다로 들어가는 나를 보며 서핑 강사님은 조금 당황한 것 같았다. '이럴 거면 왜 왔지?'라고 생각하시지 않으셨을까. 그의 흔들리는 동공을 보았다.

물이랑 친하지 않은 게 느껴진다, 일단 수영을 좀 배워보는 게 어떠냐, 무서우면 어깨를 잡아라, 깊은 데는 들어가지도 못하겠다 등의 말들을 쏟아내셨다.

강사님은 부진해도 너무 부진한 학생을 보며 직업 정신과 사명감, 오기가 발동되었던 것 같다. 반드시 나를 일으키고 말겠다는 어떤 결심이 보였고, 나는 끝내 서핑 보드 위에 일어섰다.

다음에 또 서핑하면 강사님을 찾아오겠다는 내 말에 강사님은 조용히

고개를 돌리셨다.
아무튼 내 인생 첫 번째 서핑의 결과는 나름 성공적이었고, 나는 알았다.
나에게 두 번의 서핑은 없다는 것을.

여름이 오니 도전 정신이 또 스멀스멀 올라오려고 한다. 두 번의 서핑은 없다고 생각했지만 역시 삶에서 무언가를 쉽게 단언할 수가 없다. 누군가를 힘들게 하는 일은 무엇이든 하지 않아야 하거늘, 나는 또 서핑을 검색하고 있다.

그 시절 최고의 여행은 소풍

우리는 매일 기억을 만들고, 그렇게 만든 기억들로 매일을 살아가고 세월을 쌓아간다. 매일 더해지고 쌓여간다. 그리고 삶의 수많은 장면들 가운데 몇 가지의 좋은 기억으로 삶을 살기도 한다. 언젠가의 기억들은 그때 그 시간으로 돌아가 우리에게 위로를 준다. 어떤 날에는 열두 살로, 어떤 날에는 스무 살로 돌아갈 수 있었다. 나는 김밥을 볼 때마다 열두 살의 소풍날을 떠올린다.

소풍 전날 밤이면 날씨를 몇 번이고 확인하고, 비가 오지 않게 해달라고 두 손 모아 기도했다. 물과 음료수를 냉동실에 얼리고 친구들과 나눠 먹을 간식을 가방에 꼼꼼히 챙겨 넣었다. 밤새 잠을 자는 둥 마는 둥 하다 아침에 눈을 떴다. 그래도 하나도 피곤하지 않았다.

오늘은 소풍날이다. 눈을 뜨면 고소한 참기름 냄새와 압력밥솥에서 찰기 있게 익은 흰쌀밥 냄새가 났다. 간장과 물엿에 조린 어묵볶음, 참기름과 깨소금 향이 가득한 시금치나물 냄새도 났다. 잠이 덜 깬 채로 냄새를 따라가면 엄마가 있었고, 뚱뚱하게 만 김밥이 쌓여있었다. 엄마가 간이 맞냐며 입에 넣어주는 따뜻한 김밥 하나를 오물오물 씹었다. 그것이 소풍날 아침의 기억이다.

엄마의 김밥은 늘 맛있었다. 도톰하게 부친 달걀, 식용유에 잘 볶아진 윤기나는 당근, 아삭한 오이, 고소한 시금치무침, 손이 많이 가도 꼭 직접 조리던 우엉, 살짝 구운 햄, 짭짤한 어묵이 소금과 참기름으로 간한 흰쌀밥과 김 안에 가지런히 자리 잡혀있었다.

오빠는 그 소금밥을 참 좋아했다. 김밥을 싸다 보면 재료와 밥이 딱 맞게 떨어지지 않아, 밥이 꼭 몇 숟갈이 남았는데 오빠는 김밥보다 그 소금밥을 먼저 입에 넣었다. 언제부턴가는 엄마는 일부러 오빠의 몫으로 소금밥을 남겨놓았다. 맛있게 소금밥을 먹고 조금씩 남은 김밥 속 재료를 반찬 삼아 먹는 오빠를 보며 괜히 따라 먹어보기도 했다.

나와 오빠는 소풍 가방을 싸고, 엄마가 끓여주시던 달걀국이나 어묵국과 함께 소금밥과 김밥을 먹고 집을 나섰다.

엄마는 김밥을 쌀 때는 참기름이 중요하다며 비싸고 질이 좋은 참기름을 꺼냈다. 평상시에는 보통의 참기름을 써도 그날만큼은 냉동실 깊숙이 넣어둔 누군가 직접 짜주었다는 참기름 통을 열었다. 그래서인지 소금밥도, 김밥도 유난히 더 맛있었다.

소풍날은 우리 집 주방이 쉬지 않는 날이었다. 학교와 담 하나 사이를 두고 집들이 줄지어 살던 그때는 옆집 살던 언니와 동생도, 언덕 아래 살던 언니들도 모두 소풍날이 같았다. 엄마는 오빠와 나의 김밥 외에도 동네 꼬마들의 김밥을 쌌다. 엄마의 김밥은 동네에서 유명했다.

소풍날 한정 김밥 집을 오픈했다. 우리를 보내고 나서는 엄마들이 모여 그날의 점심으로 김밥을 먹고는 했다. 그때는 정말이지 드라마 〈응답

하라 1988〉 그대로였다. 엄마의 심부름대로 김밥을 말아 옆집에 가져다 주면, 접시 위에는 귤이든 참외든 무언가 쌓여 집으로 돌아왔다. 어른들이 모이는 날에는 아이들끼리 한집에 모여 짜장면을 시켜 먹고 고무줄놀이를 하던 그런 시절이었다.

오전 내내 한바탕 뛰어다닌 뒤, 배가 고플 즈음 우리는 잔디밭에 대충 둘러앉아 도시락 뚜껑을 열었다. 어떤 도시락에는 유부초밥이 있었고, 다른 도시락에는 치킨 너겟이 있었다. 늘 그렇듯 김밥은 빠질 수가 없었다. 소풍하면 김밥을 자연스럽게 떠올리듯 김밥이 담긴 도시락이 아무래도 가장 많았다. 그럼에도 집집마다 김치 맛이 다르듯 김밥도 모두 맛이 달랐다. 친구네 김밥은 흑미밥과 맛살이 들어가 있었다. 건너 건너 친구네 김밥에는 멸치볶음이 들어가 있었다. 분명 김밥인데 맛은 같은 게 하나도 없었다. 우리는 메뚜기 마냥 여기저기를 뛰어다니며 서로의 도시락을 탐했다. 모두가 그렇게 서로의 도시락을 여행하듯 오며 가며 먹었다.

김밥만으로 아쉬운 날에는 함께 먹을 음식을 고민했다. 국물이 생각나는 쌀쌀한 날에는 컵라면을 더했고, 분식이 생각나는 날에는 떡볶이나 만두를 더했다.

대학생 때는 강의가 연달아 있어 시간이 없을 때면 가까운 매점에 파는 참치 김밥을 즐겨 먹었다. 참치 김밥을 사고 컵라면이나 군만두를 더했다. 간단하게 챙겨 먹기에 최고였다.

초등학교 운동회 날에는 치킨을 뺄 수 없다. 따뜻하지 않아도 운동회에서 모래바람을 뒤집어쓴 김밥과 치킨은 그것만이 주는 맛이 있었다. 지금도 김밥만으로 아쉬울 때는 함께 먹을 음식을 고민하지만 아무리 맛있는 음식과 함께 해도 그때의 느낌을 내기에는 조금 부족한 듯싶다.

아무리 맛있는 음식을 먹어도 "그때 먹었던 그 맛이 아니야."라는 어른들의 말씀을 이제야 조금씩 실감하는 나이가 되었다. 길고 정성 어린 시간이 김치를 맛있게 익히듯, 세월이 더해져야만 깊어지는 것들이 있다. 예를 들면 지혜나 추억 같은 것. 음식은 추억이 더해질 때 비로소 더 맛있어진다.

어떤 맛있는 음식이라도 맛으로만 그것을 기억하기는 어렵다. 함께 먹었던 사람, 어렴풋하게 남은 그때 나누었던 대화들이 장면으로 남아 우리는 그 언젠가를 오래오래 추억할 수 있다.

나는 지금도 소풍을 떠올리면 김밥이 생각나고, 엄마의 김밥을 보면 열두 살의 소풍날이 떠오른다. 아마도 지난날 우리에게 최고의 여행은 소풍날이 아니었나 싶다. 함께 여행을 가는 사람들도, 여행을 가는 곳도 모든 것이 설렜기 때문이다. 그리고 시간이 흐르고 추억을 남기는 것이 여행이듯 지금도 그때를 추억한다.

소개팅과 이탈리아의 상관관계

그러니까, 내가 그곳을 얼마나 좋아하냐면요. 하고 말하기 시작한다면 몇 가지의 이유를 말할지 모르겠다. 좋아하는 것에는 이유가 없다고도 하는데, 이렇게 이유를 줄줄이 말하고 싶은 것도 신기하다. 고작 단 한 번이었는데 말이다. 이제는 기억이 흐릿해져 갈 몇 년 전의 여행임에도, 당장에 닿지 못할 곳에 대한 그리움은 깊어져 간다.

어느 날 소개팅이 들어왔다. 소개팅은 들어오면 그냥 받는 편이다. 실은 굉장히 확고한 취향을 가지고 있지만, 취향을 얘기하는 순간 돌아올 말은 뻔하기 때문에 대개 별말은 하지 않는다. 나이와 이름 정도의 기본적인 것만 듣고 자리에 나간다. 소개팅에서 잘 맞는 사람을 만나기가 쉽지 않다는 사실을 알기에 큰 기대가 없어서 그런 것 같다. 그랬던 내가 상대방이 이탈리아에서 일한다는 것만으로 나의 소개팅 역사 최초로 호감과 궁금증이 생겼다. 만나기 전부터 궁금증이 생겼다는 것은 내게 아주 이례적인 일이었다.

맞춤법이 잘 지켜지고 띄어쓰기가 잘 된 메시지를 받으면 설렌다.
요즘은 만나기 전에 미리 연락을 주고받다가 만나는 경우가 많은데 그래서인지 더 어렵다. 설렘의 'ㅅ'도 시작하기가 힘들기 때문이다. 예전에 어떤 분은 아침부터 계절의 절기를 언급하며 이모티콘을 보내왔다. 나는 그 때 회사 상사와 연락하는 기분이 들었다. 다른 어떤 한 분은 구어체로만 쓰던 말을 굳이 써서, 안 그래도 없던 환상이 그야말로 와장창 깨진 경험이 있다.

여러 번 괴롭고 아주 가끔 설레는데, 설렐 일이 잘 없어 번번이 사랑에 실패한다. 그런데 이번에 소개를 받기로 한 사람은 맞춤법과 띄어쓰기도 정확했다. 심지어 문단까지 알맞게 나누어 가독성까지도 갖춘 메시지였다. 아, 이러시면 설렌다고요.

이 사람과 만나면 좋아하는 이탈리아 얘기를 실컷 할 수도, 들을 수도 있겠다는 생각에 조금 들떠있었다. 카페에서 처음 만난 그분은 센스와 배려가 있었고, 누구와도 부담 없이 대화를 이어갈 수 있는 호감형의 사람이었다. 그렇다. 나는 센스와 배려 그리고 대화와 맞춤법 앞에서 무너지기도, 사랑을 결심하기도 하는 사람이다.

이탈리아가 왜 좋은지, 그중에서도 왜 피렌체가 좋은지를 물어봐 주는 그분에게 고마움을 느꼈다. 소설 〈냉정과 열정 사이〉 때문에 피렌체를 가장 좋아한다고 말하려고 했을 때도 그분은 먼저 그 얘기를 꺼냈다. 좋아하는 것들을 얘기하며 취향을 공유하고, 어떤 것을 보고 같은 생각을 할 수 있다는 것은 참 반가운 일이었다. 스치는 그 잠깐의 순간에 반가움을 느꼈다. 찰나의 순간에서, 오랫동안 꿈꿨던 여행을 했고 그것이 나에게 얼마나 반갑고 다정한 시간이었는지를 기억한다.

처음 만난 사람과 두 시간 동안 대화를 나눴다. 커피잔을 사이에 두고 공통분모를 찾으려는 두 사람의 만남은 사실 목적이 분명한 만남이었다. 두 사람은 끝내 목적을 이루지는 못했지만 가끔 그때가 생각이 난다. 비행기 표 없이도 잠시나마 이탈리아를 다녀왔던 그때의 여행이 두고두고 그립다.

형태의 유무

어릴 때의 기억을 추억해 보면 엄마가 주말 아침마다 전축을 틀던 모습이 떠오른다. 당시 전축은 가전 중에서도 꽤 고가였다. 음악에 대한 애정이 남달랐던 엄마는 어느덧 전축을 집에 들였다. 엄마의 주말 아침은 늘 같았다. 음악을 틀고 창문을 열고, 먼지를 털고, 밥을 안치고, 찌개를 끓였다. 내가 잠에서 깰 때 즈음이면 음악은 흘러나오고 있었다. 도마에서 채소를 써는 소리, 된장찌개가 보글보글 끓는 소리가 아침을 깨웠다면 우리 집은 거기에 음악까지 더해졌다. 그 덕분인지 나는 일어나야 할 시간에 기분 좋게 일어났다.

겨울밤 으으-소리를 내며 이불 속으로 들어가 누우면 엄마는 LP를 틀어줬다. 크리스마스를 기다리며 듣던 캐럴은 추운 겨울밤을 따뜻하게 데웠다. 방 안은 금방 크리스마스가 되었다.

그때부터 내 안에 정서들이 조금씩 생겨났던 것 같다. 나의 취향과 정서의 대부분은 엄마에 의해 만들어졌다고 볼 수 있다. 엄마에게 고마움을 전한다. 내 취향과 정서가 꽤 마음에 든다. 엄마가 자주 듣던 1992년도 곡인 가수 이은미 님의 〈기억 속으로〉를 91년생인 내가 익숙하게 따라 부를 수 있는 것은 엄마 덕분이다. 자연스레 엄마의 음악 취향이 내 몸에 배었고 또래에 비해 옛 노래들을 많이 알게 되었다. 흘러나오는 노래를 들으며 흥얼거리면 보통 "이 노래 알아?" 하는 말들을 해왔고 나이를 속인 게 아니냐는 얘기도 줄곧 들어왔다. 조금 더 커서는 엄마를 따라 공연을 종종 갔다. 무슨 뜻인지도 모르고 따라 부르던 노랫말들도 이제는 제법 가슴에 와닿는다. 노래와 함께 나도 꽤 깊어져 왔나 보다.

오랜 시간 우리 집의 하루를 책임 지던 전축도 세월이 흐르니 고장 나는 횟수가 잦아졌다. 고쳐서 쓰기를 반복하다 결국 버리게 되었다. 그때 어떻게든 다시 고쳐서 가지고 있을 걸 그랬다며 엄마는 지금까지도 후회 가득한 푸념을 한다.

전축, 라디오 그리고 CD 플레이어에서 블루투스 스피커까지 오다 결국 엄마는 턴테이블을 샀다. 그리고 요즘은 LP를 열심히 모으고 있다. 우리는 LP를 들으며 두런두런 이야기를 나눈다. LP를 듣고 있으면 꼭 어릴 적 이불 속에서 듣던 그때로 돌아가는 것 같다. 깨끗한 음질은 그 나름대로 좋고, 세월을 머금어 지지직거리는 소리 역시도 말할 것 없이 좋다.
흐르고 쌓여야 깊어지는 것은 세월이다. 세월을 머금은 모든 것들은 의미 있고 아름답다.

옛 감성을 그리워하는 많은 이들의 마음이 모인 것일까, 조금 더 수고스럽고 정성스럽게 음악을 듣는 일이 많아지고 있다. 여전히 클릭 몇 번이면 음악을 들을 수 있지만, 좋아하는 음악을 듣기 위해 시간을 쏟고 마음을 쏟는 일을 우리는 기꺼이 하고 있다.

예전에는 좋아하는 가수의 앨범이 나오는 날이면 레코드 가게에 가서

브로마이드를 받고, CD를 사던 일이 당연했다. 얼마나 설레는 순간이었는지 모른다. 요즘도 여전히 CD가 나오기는 하지만 예전과는 사뭇 다른 풍경이다.

가수 나얼 님의 인터뷰 중 아주 공감했던 인터뷰가 있다.

'좋은 음악을 많이 듣고 음반을 사라.'

'어떤 형태의 유무가 감성의 엄청난 차이를 가져오는 것 같다, 좋은 감성을 가지고 키우려면 손으로 만져지는 물건들이 있어야 한다. 갖고 싶은 LP와 CD를 갖기 위해 했던 노력들과 거기서 벌어지는 수많은 이야깃거리들이 감성의 밑받침이 된다.'

나에게도 전자책보다 종이책을 좋아하는 이유, 어떤 날에는 장문의 메신저보다 손 편지를 쓰는 이유, 매년 다이어리를 사는 이유, 엽서를 모으고 사진을 인화하는 이유 같은 것들이 있다. 나는 그것을 수고스러운 낭만이라 부른다.

앨범 발매 날을 꼬박 기다려 레코드 가게에 가 CD를 품에 안고 버스를 타고 돌아오던 기억, 찬 바람이 불던 겨울날 이불을 폭 덮고 누우면 엄마가 LP를 틀어주던 기억, 레코드 가게 종이 악보 코너에서 좋아하는 곡의 악보를 고르던 기억같이- 형태가 있는 음악이 주던 풍요로움을 느낄 수 있었던 유년 시절이 있었다.

내가 아주 어렸을 적부터, 엄마는 청소할 때 늘 라디오를 켜거나 앨범이 가득 꽂힌 CD 장에서 CD를 골랐다. 청소기 소리와 섞여 들려오던 오래된 노래들은 내 안에 남아 그 노래들을 들으면 그 장면이 떠오른다. 과거의 어떤 순간들과 장면들이 내 안에 차곡차곡 쌓여있어 나는 그러한 것들로 무언가를 풀어내며 살고 있다고 생각한다.

감성과 정서를 소중히 여긴다. 무뎌지는 법 없이, 굳은살 없는 생각을 품고, 조금 더 민감하게 살고 싶다. 그래서 LP 샵을 지나치지 못하고 오늘도 형태를 소유한다.

W
THE SMITHS
MERRY
SNOOPY'S CHRISTMAS
Sealed/Mint,
original and early pressings
Mostly unplayed media

TOUCHING ONE ANOTHER.
YOU.
SEEING THE UNSEEN, THE INVISIBLE,
WHEREVER YOU ARE. WHEREVER YOU ARE,
CLASS WAR
A TRACE OF GRACE

TRATTORIA
GR 313924

The Stavros S.
YEARS OF DUST
RESETTLEMENT ADMINISTRATION
Rescues Victims
Restores Land to Proper Use

2부

식탁과 우리

나의 식탁일지

나의 식탁 일지는 초등학교 1학년에서부터 시작된다.
거실 한쪽에는 선풍기가 돌아가고 있다. 여름 방학이다. 대나무 돗자리가 깔려 있고, 배를 깔고 엎드려 TV를 켠다. 탐구생활 책을 펴놓고 EBS를 보며, 밀린 일기는 개학 전날 몰아 쓰느라 모든 날씨가 맑음이었던 그때. 탐구생활에는 그야말로 매일매일 탐구해야 할 것들이 넘쳐났다. 학생의 역할을 나름 성실히 수행한 뒤의 루틴은 요리 프로그램 보기였다. 방송을 보다가 따라 해 보고 싶은 메뉴가 생기면 레시피를 공책에 받아 적었다. 그렇게 나의 레시피 노트가 채워져 갔다.

엄마는 집에서 호떡을 자주 만들어주고는 하셨는데, 어떤 날에는 엄마의 호떡을 재현할 수 있을 것만 같은 근거 없는 자신감이 가슴을 웅장하게 채웠다. 웅장한 가슴으로 친구를 집으로 초대해 호기롭게 호떡을 만들어 주기로 했다. 밀가루랑 설탕이 들어가는 건 알겠는데, 이스트가 들어가 반죽을 숙성시켜 빵 같은 식감을 내준다는 것은 알 리가 만무했다. 일단 밀가루와 물, 달걀을 섞었다. 수제비를 만들어도 이상하지 않은 반죽을 만들어 설탕을 넣고 납작하게 눌러 호떡을 만들어냈다. 쫀득하지도, 그렇다고 폭신하지도 않은 호떡이었지만 어쨌든 호떡 비슷한 것을 만들어냈다. 쭈왑쭈왑 소리를 내며 먹었다. 친구의 턱관절이 미세하게 떨렸다. 쉽지 않았을 텐데 맛있게 먹어준 친구에게 고마움을 전한다. 그때부터 미각이 움직이기 시작했던 것인지는 모르겠지만, 엄마의 호떡과 크게 다르다는 것을 알고는 호떡 믹스의 시대가 오기 전까지는 만들지 않았다.

그리고 어디선가 보았던 두부 샐러드를 만들어 주겠다며 또 친구를 초대했다. 미완성의 상태에서 친구를 많이도 초대했다. 두부를 물에 데치고, 샐러드 채소를 그릇에 담은 뒤 찬물에 헹구지도 않은 뜨거운 두부를 샐러드에 얹어냈다. 얹고 보니 뭔가 이상했다.

'샐러드가 분명히 있었는데 왜 없지?'

뜨거운 두부 아래서 채소는 힘없이 생명을 잃었다. 분명히 차갑게 먹는 샐러드라고 들었는데, 두부는 뜨겁고 채소는 따뜻한 두부에 들러붙어 있는 이상한 음식을 만들어냈다. 친구는 아직도 뜨거운 두부 샐러드를 잊을 수 없다며 흑역사를 들춰낸다.

초등학교 3학년이 된 어느 날, 죽지도 않고 또 온 각설이는 엄마의 볶음밥을 따라 해 보고 싶은 지경에 이른다. 평온하게 흘러가던 토요일 오후, 엄마에게 자신 있게 볶음밥을 만들어 보겠다고 선언했다.

엄마가 맛있게 볶아 수북하게 담아준 볶음밥을 몇 그릇 먹어 치웠던가. 기억을 더듬어 그 맛을 떠올렸다. 감자와 당근, 양파와 햄을 썰어 식용유에 볶다가 밥을 넣고 소금, 후추로 마무리하는 시뮬레이션을 마친 뒤 요리를 시작했다. 서툰 칼질이지만 조심조심 썰었다. 딱딱한 감자와 당근만 잘 익히면 된다는 마음으로 임했다. 나름 열심히 볶았는데 감자와 당근이 설익어 아삭아삭한 볶음밥이 완성되었고, 실패 이후 모든 요리에는 적당한 시간이 필요하다는 것을 알았다.

언젠가부터는 주방을 요리 스튜디오로 만들기 시작했다. 친구와 함께 요리 프로그램을 진행하는 놀이를 자주 했다. TV에서 본 대로 요리하며 말을 하기 시작했다. 마치 카메라가 앞에서 찍고 있는 것처럼. 두 가지 일을 동시에 하는 것은 어려웠다. 말을 잘 하려고 하면 요리 과정이 한두 개씩 빠지기 일쑤였고, 요리하는데 집중하다 보면 말이 이상해졌다. 능숙하게 해내는 TV 속 사람들이 신기했다.

초등학교 4학년 때는 수업이 끝나면 여럿이서 우르르 친구 집으로 뛰어갔다. 친구네 부모님께서 맞벌이를 하셔서 낮 동안 집이 비어있었다. 부모님껜 죄송하지만 이내 친구 집은 우리의 놀이터이자 실험실이 되었다. 그때쯤 소형가전으로 가정용 튀김기가 처음 나왔는데, 마침 친구네 집에 튀김기가 있었다. 겁도 없는 초딩들의 도전이 시작되었다. 튀김기에 반죽을 묻힌 채소를 넣으니 바삭한 튀김이 되어 나왔다. 연신 '우와!'를 외치며 각종 채소들을 넣었다.

또 다른 친구 집에 모여서는 해물떡볶이를 해 먹기로 했다. 오징어를 맨손으로 만지며 먹물을 떼 내는 모습을 본 친구들이 기함했다. 그날의 용자는 나였다. 겁은 많은데 그런 용기는 어디서 났던 것인지 나도 모르겠다. 오징어를 손질한 뒤 우리는 떡볶이를 완성했다.

친구 어머니는 우리의 호기심이 기특하고 귀여우셨는지, 하루는 함께 만두를 빚자고 하셨다. 다 함께 모여서 만두를 빚고, 김이 오른 솥에 만두를 찌며 '이건 네가 만든 것, 이건 내가 만든 것!' 하며 깔깔거렸다.

나의 식탁 일지가 시작되었던 초등학교 1학년부터 숱한 역사가 쌓이고 쌓여, 어느덧 사람들을 초대해 꽤 근사한 음식을 만들어 대접할 수 있게 되었다.

나이를 먹어 좋은 점이라면 그런 것일 수 있겠다. 좋아하는 사람들에게 더 이상 뜨거운 두부 샐러드를 주지 않아도 되는 것, 이스트 없는 질긴 호떡을 대접이랍시고 친구의 턱관절을 힘들게 하지 않아도 되는 것, 감자와 양파가 부드럽게 씹히는 볶음밥을 대접할 수 있다는 것.

좋은 날에 좋은 것을 나누고 싶어서 지금도 사람들과 함께 식탁에 모인다. 맛있는 음식을 만들어 주고, 누군가 그 음식을 먹고 좋아하는 모습이 여전히 나를 부지런하게 한다. 나는 식탁에서 더욱더 깊어진다.

당근 케이크를 구웠는데요, 당근 케이크가 있었습니다

어느 날 식사 초대를 받았다. 초대를 받으면 빈손으로 갈 수 없다. 보통 점심, 저녁때에 맞게 식사 초대를 받게 되니 오늘은 디저트를 준비해 가기로 했다. 초대받은 집에 가져가는 디저트는 처음 만들어 보는 것보다 보장된 맛의 실패 없는 레시피가 필요하다. 베이킹을 시작하고부터 아마도 가장 많이 구웠을 당근 케이크를 구워가겠다고 마음먹었다.

당근을 갈고, 달걀과 설탕을 섞는다. 구운 호두도 넣어 준다. 당근 케이크의 핵심인 시나몬 가루도 빠뜨리지 않는다. 케이크가 구워지는 향은 맡을 때마다 기분 좋고 달큰하다. 이때 누군가 집 안으로 들어온다면 '무슨 냄새야?'라는 말을 열에 아홉 번은 듣는 케이크다. 오늘도 통통하고 먹음직스럽게 잘 구워지고 있다.

잘 구워진 케이크를 식혀두고, 조금 더 케이크다운 케이크를 위해 크림 프로스팅을 만들기로 한다. 밀도가 촘촘한 시트에는 생크림만 쓰는 것보다 크림치즈와 섞어 무게감을 더하는 것이 잘 어울린다. 크림치즈에 설탕이나 슈가 파우더를 넣어 섞어준 뒤 생크림을 적당한 비율로 넣는다. 자칫 느끼할 수 있는 맛은 금방 짠 레몬즙으로 상큼함을 더한다. 이제 프로스팅도 완성이다.

재미있는 시간이다. 시트 위에 크림을 얹고 또 시트를 얹고, 크림을 듬뿍 올려준 뒤 원하는 과일로 장식하면 된다. 딸기가 나오는 계절이라면 모두의 시선을 사로잡을 딸기도 좋다. 과일이 없다면 호두를 뿌리고, 시나몬 파우더로 톡톡 마무리해 주면 클래식한 당근 케이크가 완성된다.

가장 설레는 순간은 완성된 케이크를 상자에 담을 때가 아닐까. 함께 나눠 먹을 사람들의 얼굴을 떠올리며 기대감과 조금의 설렘도 함께 담는다.

저녁 식사에 초대받은 집에 도착하니 마당에 있는 그릴에서 나오는 열기로 뜨끈함이 느껴졌다. 오늘도 환한 웃음으로 우리를 반겨주는 제임스 아저씨와 린다 아주머니다. 귀여운 아이들과도 인사를 나누고 집 안으로 들어갔다. 아일랜드 위가 빼곡하다. 오늘의 저녁 메뉴는 피자&칩이다. 탄수화물의 향연! 그렇다면 이제 행복이 시작된다는 얘기다.

페퍼로니, 피망, 올리브, 치즈 같은 피자 재료를 원하는 대로 올리고 마당에 있는 제임스 아저씨께 갖다 드리면 된다. 이제 따끈한 그릴에서 먹음직스럽게 구워질 것이다. 그렇다면 열심히 담아볼까? 각자의 피자 한 판을 완성해 얼른 아저씨께 갖다 드렸다. 도우가 노르스름하게 익어가고, 페퍼로니가 지글거리며 구워졌다.

집 앞에는 호수가 보였다. 각자의 피자를 가지고 호수를 바라보며 먹어보라는 아저씨의 설렘 가득한 제안 덕분에 저녁이 더욱 풍성해졌다.

나는 자유로우면서도 적당한 규칙이 있는 이곳의 파티가 좋았다. 손님을 초대하는 파티임에도 함께 파티를 준비하고 공간을 채워가는 모습이 자연스러웠다. 호스트는 호스트로서 해야 할 일들을 미리 준비하지만, 게

스트들도 함께 기쁜 마음으로 파티를 준비한다.

사람들을 초대하는 것을 좋아하는 나는 초대를 하면서도 어느새 '파티'보다 '초대'에 집중했다. 모든 것의 준비를 끝마치고 사람들이 오기를 기다리곤 했다. 부담 없이 맛있게 음식을 먹고 즐기라는 마음에서 비롯된 것이지만 함께 파티를 준비하는 과정이 즐겁다는 것도 알게 되었다. 그들은 파티를 즐길 줄 알았다.

저녁 식사가 끝이 난 후 빠질 수 없는 코스가 남아있다. 바로 달콤한 디저트를 먹는 시간이다. "당근 케이크를 구워왔어" 하고 준비한 당근 케이크를 꺼냈다. 그런데 호스트인 린다 아주머니가 호탕하게 웃으면서 말했다.

"나도 당근 케이크를 준비했어!"

모두 당황한 표정으로 두 개의 당근 케이크를 바라보며 웃었다.

늘 유쾌했던 아주머니는 제임스 아저씨께 말했다.

"두 개의 당근 케이크를 먹어보고 더 맛있는 당근 케이크를 선택해. 참고로 내가 만든 당근 케이크는 믹스를 사용했어."

"그럼 말할 것도 없이 연지의 당근 케이크가 맛있을 것 같은데?"

베이커의 자존심이 있는데 아무렴 믹스에 비하랴. 나의 당근 케이크는 밀리지 않을 거라는 마음이 슬쩍 들었다. 그리고 우리는 케이크를 먹기 시작했다.

아, 이곳은 미국이지. 잠시 잊고 있었다. 역시나 베이킹의 나라였다. 마트에 가면 베이킹 재료들이 가득 차 있고 케이크 믹스는 맛별로 다양하다. 딸기, 초코, 바닐라는 물론이고 처음 보는 맛들도 많다. 그렇다면 믹스가 얼마나 잘 나온다는 얘기였겠는가. 잠시 간과했던 것이다.

린다 아주머니가 구운 당근 케이크는 정말 촉촉하고 맛있었다. 나는 아주머니의 당근 케이크에 손을 들었다. 아주머니는 나의 당근 케이크에 손을 들었다. 그렇게 우리는 서로의 당근 케이크에만 포크를 갖다 대고 있었다.

나는 그날 이후로 케이크 믹스를 신뢰한다. 결코 쉽게 보지 않는다. 어쩌면 시간과 노력 대비 훨씬 나을 수도 있다는 생각도 들었다. 그럼에도 굽고 싶은 케이크가 많아 여전히 시간과 노력을 들이는 일을 하고 있지만 말이다. 그리고 누군가의 집에 초대를 받을 때는 준비된 디저트가 무엇인지 꼭 확인하는 습관까지도 생겼다. 맛있는 당근 케이크가 두 개면 좋지만, 당근 케이크 하나에 브라우니 하나면 더 좋을지도 모르니까.

사랑을 반죽하고 굽는 일

베이킹은 내가 하는 일들 중 하나이지만 작업을 할 때마다 떨리고 설렌다. 마음을 적어보니 아무래도 누군가를 좋아할 때 같다. 맞다. 나는 베이킹을 좋아한다.

포카치아를 구웠다. 레스토랑에 가면 식전 빵으로 자주 등장하는 보송보송하면서도 쫄깃하고 부드러운 빵이다. 이스트가 들어가는 빵은 내게는 여전히 어렵지만 늘 그렇듯 결과물을 기대한다. 반죽을 할 때도, 발효가 될 때도, 오븐에 구워질 때도 눈을 떼지 못하는 것을 보면 아무래도 사랑 비슷한 그것 맞는 것 같다.

떨리는 과정 끝에 반죽을 오븐에 넣었다. 이 사랑이 서글프게 끝나지 않기를 바라며 좋은 결과를 기다린다. 오븐에서 빵이 구워지기를 기다리며 책을 읽는다. 10분 뒤면 오븐 문을 열어 오늘의 주인공을 꺼내줘야 한다. 때로는 시간의 끝을 알고 기다리며 무언가를 하는 순간이 나쁘지 않다고 생각한다. 그 잠깐의 시간 동안 하는 독서에는 특별히 달콤하거나 고소한 향까지 함께 하기 때문이다. 반죽에 넉넉히 넣은 올리브오일 냄새가 부엌을 채우며 노릇하게 구워진다. 빵이 구워지는 냄새를 맡는 일은, 좋아하는 사람을 알아가는 것처럼 좀처럼 질리지가 않는다.

잘 구워진 포카치아는 나를 웃게 만든다. 누군가를 웃게 만든다는 것이 사랑이 아닐 수 없다. 사랑이 나를 웃게 한다.

사람들은 말한다. 더 좋아하는 쪽이 지는 것이라고. 수많은 이별 끝에 알게 된 것이 있다. 사랑하는 일에 있어서는 마음을 아끼지 말 것을.

이별의 순간 앞에서 더 슬픈 쪽은, 마음을 다해 사랑하지 못했던 쪽이었다. 많이 좋아하고 사랑했던 쪽은 마음을 다했기에 후회가 없었다.
사랑 앞에서 지는 일은 없다. 그저 내 사랑에 마음을 다하는 순간이 가장 아름다웠다.

처음 베이킹을 시작했을 때는 제누아즈(*스펀지케이크 시트. 달걀을 풀어 중탕으로 설탕과 섞은 뒤, 밀가루와 버터 녹인 것을 혼합하여 구워낸 케이크 시트)가 부풀지 않고 자꾸 가라앉아 속상한 마음에 눈물이 찔끔 나왔다. 좋아하는 스콘의 맛이 담긴 레시피를 만들기 위해 떡이 되는 스콘 몇십 판을 만들어야 했다. 시나몬 롤은 생각했던 맛이 아니라서 슬펐다. 하지만 나는 좋아하는 일을 멈추지 않았다. 마음을 아끼지 않고 사랑을 반죽하고 구웠다. 성공보다 실패가 많았지만 후회가 남지 않게 모든 순간에 마음을 다했다. 그리고 나는 사랑을 얻었다.

이제 내 곁에는 안정된 제누아즈 레시피가, 적당히 빽빽하고 촉촉한 스콘의 맛이, 보송한 시나몬 롤이 있다.

다음에는 어떤 사랑을 가져볼까 생각한다.

아! 한눈파는 건 아니고 나에게는 아직 사랑할 게 많고, 나는 사랑이 많고 싶은 사람이다.

12월의 크리스마스

크리스마스에 누구보다 진심이던 나는 급기야 크리스마스를 외국에서 보내고 싶다는 꿈을 실현하기에 이른다. 무엇보다도 그것을 가능하게 한 것은 미국에서 살고 있는 친구 주영 덕분이었다.

여행을 준비하면서는 투잡을 했다. 항공권을 끊고 나니 떠날 날이 얼마 남지 않았다는 실감이 나기도 했지만 조금 더 여유롭게 여행을 즐기고 싶어서였다.

출근 후 오전과 오후에는 요리 영상 촬영과 레시피 작업, 레시피북 원고를 썼다. 퇴근과 동시에 다시 출근을 해서 저녁에는 홀 서빙을 했다. 눈코 뜰 새 없이 바빴지만 즐거웠다. 목표가 분명했으니까. 나에게 좋은 체력이 있어 감사한 나날들이었다. 아프지 않았고, 오히려 더 건강하게 여행을 준비할 수 있었다.

하루 일과를 마친 새벽이 되면 잠에 들기 바빴다. 시간이 길지는 않지만 짧고 굵게 단잠에 빠져들었다.

언젠가 영화 〈세렌디피티〉를 재미있게 봤다. 뻔하디뻔한 클리셰가 가득하지만, 보통의 로맨스 영화라면 당연한 법이다. 그리고 어느 날에는 밤새 꿈을 꿨다. 꿈속에서 조나단과 사라가 처음 만났던 뉴욕 블루밍데일스 백화점에 갔다. 그리고 장갑을 구경하면서 그들을 만날 수 있지 않을까 기대하는 나를 만난 꿈이었다. 무의식중에도 나는 여행을 기다리고 있었다.

크리스마스 느낌이 가득한 12월의 파티를 떠올려 보자. 영화 속 한 장면이 따로 없다. 캐럴이 흘러나온다. 거실 한쪽에는 오너먼트를 단 크리스마스트리가 있고, 트리 옆에는 선물 상자가 쌓여있다. 아이들은 선물 상자를 뜯으며 한바탕 난리가 났다.

부엌에는 맛있는 음식들이 준비되어 있다. 사람들은 즐거워하고 있다. 파티 음식은 크리스마스답게 양식으로 정했다. 다 함께 모여 라자냐, 비어캔 치킨, 토마토 마리네이드, 샐러드, 매쉬드 포테이토, 후무스, 차지키 소스, 과카몰리와 칩, 새우 스튜를 만들었다. 달콤한 디저트들도 따로 테이블을 마련했다. 당근 케이크, 바스크 치즈 케이크, 각종 파이와 쿠키도 준비했다.

그날의 드레스 코드는 빨간색, 초록색이었다. 빨갛고 초록 초록한 사람들이 모여있는 재미있는 파티였다. 그리고 우리는 쓸데없는 선물을 준비하기로 했다. 파티를 앞두고 진정 쓸모없는 선물을 위해 일주일을 고민했다. 각자의 용도와는 거리가 먼 선물들을 주고받으며 많이도 웃었다.

생각했던 크리스마스를 보낸 것 같았다. 오랜 바람이 현실이 된 것 같아 잠시 몽롱하고 행복했다. 성시경의 〈너의 모든 순간〉 노래 가사에 정말 빈틈없이 행복하다는 표현이 있다. 얼마나 행복하면 저런 가사를 쓸까 생각한 적이 있었다. 듣기만 해도 행복이 내게 오는 느낌이었다. 빈틈없이 행복하다는 말을 조금은 느끼는 날이었다.

때로는 행복이 아주 가까이에도, 멀리에도 없는 것 같은 때가 있다. 좀처럼 오지 않는 것 같을 때가 있다. 아주 대단한 행복이 있는지는 잘 모르겠다. 그래서 나는 행복을 미루지 않고 작은 행복의 조각을 모으기로 했다. 그러다 보면 아주 대단하게 행복해졌다. 이 행복을 위해 용기를 내서 여행을 떠나온 것이 아닐까 생각했다. 행복을 끌어다 쓰는 것 같다는 나의 얘기에 그저 지금 이 순간, 이 시간에 행복을 느끼는 것이라고 말해 주었던 그에게 고맙다고 말하고 싶다.

찾아와 주셔서 감사해요

작은 디저트 가게를 운영한 적이 있다. 골목 안에 있어 찾아와야만 알 수 있는 자리였는데도 신기하게 찾아오는 손님들이 생겼다. 혼자 하다 보니 정신없을 때도 있지만, 생각만큼 매일매일 손님이 넘쳐나지는 않아 그럭저럭 바쁘기도 하고 여유롭기도 했다.

영화 〈카모메 식당〉은 요리를 좋아한다면 많이들 좋아하는 영화다. 손님 한 명 없는 가게를 매일 지키고 있는 사치에를 보며 숙덕대던 할머니들은 어느 날 시나몬 롤 냄새를 맡고 가게 문을 열게 된다. 그날 이후로 매일 시나몬 롤과 커피를 찾는 단골손님이 되었다.
오븐 안에서 구워지며 코를 찌르는 시나몬 향과 쭉쭉 찢어지는 빵 결을 보고 있자면, 할머니들이 왜 그곳의 단골이 되었는지 알 수 있다.

카모메 식당의 이야기는 성나지 않은 파도처럼 그저 잔잔하게 흘러간다. 아주 특별한 것도, 특별할 것도 없다. 각자의 삶을 사는 사람들이 그곳에서 만나고, 음식을 나누고 마음을 나눈다. 사치에가 마음을 나누고 위로를 전하는 방법은 정성 가득한 음식을 만들어 전하는 것이었다. 우두커니 혼자서 공간을 메우던 그곳은, 결국에는 사치에의 진심을 아는 사람들로 북적이는 공간이 된다.

손님이 없을 때는 카모메 식당을 떠올리며 환상에 빠지는 일이 위로가 되었다. 나는 지금 카모메 식당을 운영하고 있다는 생각으로. 그리고 언젠가 만날 손님과 통할 진심을 기다리고 있었다.

어느 날에는 친구랑 얘기를 하다가 "그래도 하루 매출이 한 번도 0원인 적은 없다?"라고 말하니 친구가 "너 참 속 좋다."라고 말했다. 인정한다. 사장으로서의 역량은 부족했던 나였다.
태평한 성격은 아니지만 긍정적으로 생각하려는 부분이 조금이나마 있어 정신 건강을 유지할 수 있었다. 사장으로서는 씁쓸한 일이지만 씁쓸함 속에서도 좋은 것들이 곁에 있었다. 공간, 좋아하는 음악, 책 읽을 시간, 그리고 누군가 이 공간을 오롯이 즐길 수 있는 것. 그리고 조금 더 보태면 손님 한 분 한 분에게 집중할 수 있는 것도 작은 가게의 매력이라고 생각했다. 태평한 성격은 아니라고 말했는데, 아무래도 태평한 것 같기도 하다.

가게가 문을 연 지 한두 달이 지나고부터 꾸준하게 찾아주시던 손님이 계셨다. 꼭 자전거를 타고 오셨다. 거의 포장을 해 가셨는데 어느 날엔 가게에서 드시고 가셨다. 보통 스콘이나 초콜릿 케이크를 사 가셨는데 그 날은 바나나 케이크를 주문하셨다. 바나나 케이크 한 조각과 커피, 그리고 책 한 권이 테이블 위에 놓였다.
사실 마음 같아서는 손님들에게 당장이라도 어떻게 알고 오셨는지 물어보고 싶었지만 말을 되도록 아끼려고 했다. 간단한 안부 인사와 근황을 묻기는 했지만, 혹여라도 손님이 부담을 느끼실까 대화가 길어지지 않게 하려고 했다.

누군가 그런 말을 했다. 책을 읽는다는 것은, 세계가 넓어지는 일이고 또 다른 세계로 들어가는 일이라고. 볕이 좋은 그날 오후에 손님은 바나나 케이크 한 입, 아메리카노 한 모금, 그리고 몇 줄의 문장에 시선을 오가며 시간을 보내셨다. 나 역시도 조용히 내 몫의 커피를 마시며 내 안에 문장을 쌓아갔다. 따로 대화를 나누지는 않았지만 같은 공간을 공유하고 있다는 사실이 특별하게 느껴졌다. 지금도 바나나 케이크를 구울 때면 그 손님 생각이 가끔 난다.

골목까지 찾아오는 수고스러움을 감수하고도 찾아와 주시는 손님들이 조금씩 늘어나서 감사했다. 카모메 식당을 보며 진심이 닿기를 기다렸던 때가 생각났다. 누구와 와도 좋은 공간, 혼자 있어도 좋은 공간이 되었으면 좋겠다고 바랐다. 어떤 공간이 나에게 좋은 생각과 영감을 주었던 것처럼, 이곳 또한 그런 곳이 될 수 있었으면 좋겠다고 생각하는 오후였다.

RECIPES
from the
HEART

비 오고 쨍쨍한 일요일에는

미국은 이벤트가 없는 달이 없다. 열두 달이 있어 이벤트가 있는지, 이벤트가 있어 열두 달이 있는지 모를 정도다. 그래서 어느 가게를 가든 그날을 준비하고 기념하는 것들이 가득하다.

미국 한 캠프장에서 지내던 때에 이스터 기간이 있었다. 미국의 큰 명절 같은 날이라 이스터 기간에는 대부분 가족들과 시간을 보낸다. 그때는 캠프도 없기에 우리는 아무것도 할 수 없었다. 스태프들도 모두 집으로 돌아가 일주일 정도 쉬고 올 거라고 했다. 일주일을 한국에 다녀올 수도 없을뿐더러 캠프장 외에는 집도 없던 우리였다. 어떻게 하면 좋을지 생각하고 있는데 우리를 늘 살뜰히 챙겨주던 프랭크 할아버지, 메를린 할머니가 같이 집으로 가자고 하셨다. 두 분께 감사 인사를 하고 할머니와 할아버지 댁으로 향했다.

할아버지, 할머니와 함께 한 일주일은 정말 따뜻했다. 하나라도 더 보여 주시려고, 경험하게 해 주시려고 시간을 쪼개셨다. 마지막에 편지를 드리고 올 때는 우리 할아버지, 할머니라고 쓸 정도였으니.

날이 날인만큼 가족들이 모여 포트럭 파티를 하는 날에도 함께 하게 되었다. (*포트럭 파티 potluck party : 초대된 손님들이 각자 음식을 하나씩 가져와 나눠 먹는 파티)

각자 한 가지씩의 요리를 준비해서 모였다. 다들 어찌나 솜씨가 좋으신지. 우리로 치면 큰이모, 외숙모의 손맛이 다 다르게 맛있는 것처럼 각자 준비해오신 스튜, 샐러드는 빠짐없이 맛있었다. 한국에서 온 우리도 가만히 있을 수 없다는 생각에 팔을 걷어붙이고 요리를 하기 시작했다. 외국인들이 좋아하는 한식 중 하나인 잡채와 떡갈비를 만들었다. 그리고 각자 준비해 온 요리를 간단하게 소개하는 시간에 나는 잡채와 떡갈비를 소개했다.

"드셔보세요. 이게 한국의 맛이랍니다!"

달달하고 짭짤한 간장의 맛이 다들 꽤 마음에 드셨던 모양이다. 잡채와 떡갈비는 호평을 받으며 빠른 속도로 사라졌다.

그렇게 맛있고 배부른 날을 보내고 다음 날인 일요일에는 비가 왔다. 비는 보슬보슬 내리고 해는 쨍쨍하게 떠 있는 날이었다.

그날 저녁, 늘 그렇듯 식탁에 둘러앉았다. 식탁 위에는 각자의 자리에 팝콘과 아이스크림 한 스쿱이 있었다. 오늘은 디저트부터 먹는 날인가? 생각했다.

비 오고 쨍쨍한 일요일에는 팝콘과 아이스크림을 먹는 귀여운 전통이 있다며 할머니가 말씀하셨다. 그런 날도 있냐며 웃던 순간, 주영과 나는 눈이 마주쳤다. 잠깐의 눈빛에 많은 것이 담겨 있었다. 우리의 긴긴밤을 예상이라도 하듯, 우리는 불안을 주고받았다. 팝콘과 아이스크림을 얼마나 먹어야 배가 부를까 생각도 했던 것 같다. 그날의 저녁은 정말 팝콘과 아이스크림 한 스쿱이었다.

그날 처음으로 먹방이라는 것을 봤다. 이래서 사람들이 먹방을 보는가

보다 생각했다. 주영은 먹방을 보면 더 배가 고파질 것 같다며 한사코 거절하고 다른 일에 몰두하며 배고픔을 이겨내고 있었다. 우리는 아침에 꼭 시리얼을 두 그릇 먹겠노라 생각했다. 그런 생각을 해야만 잠에 들 수 있을 것 같은 배고픔을 안고 잠들었다. 그날은 밤이 참 길었던 것 같다. 하늘에 뜬 별들이 속도 모르고 유난히 빛나고 있었다. 우리는 별을 보고 또 봤다.

긴긴밤이 지나고 드디어 아침이 밝았다. 평소라면 간단하게 시리얼 혹은 베이글 한쪽에 사과를 먹을 우리였지만, 지난밤부터 예정된 과식을 생각하며 죄책감 없이 토스터에 베이글 두 쪽을 굽고 시리얼을 말았다. 노릇하게 구워진 빵을 베어 먹으며 오늘은 비 오고 쨍쨍한 일요일이 아니라는 사실에 안도했다.

머나먼 곳에서 식구가 되는 일

머나먼 곳에서 낯선 이들과 함께 음식을 나누었다. 그들의 저녁 식사에 나를 위한 자리를 내어주고 내 몫의 포크와 나이프가 놓여있던 그때를 기억한다. 참 고마운 일이었다. 당신이 건네준 온기 덕에 조금은 불안했던 마음이 가라앉는 듯했다. 끼니를 같이 하는 식구가 된 것 같았다. 끼니를 함께 한다는 것은 참 의미 있는 일이다. 그것은 우리가 같은 시간을 보내고 있다는 얘기였다.

당신만큼이나 음식은 따뜻했다. 바삭하게 튀긴 닭 요리 그리고 곁들여 먹을 분홍빛의 양배추절임이 있었다. 말린 크랜베리를 넣어 식감은 쫀득했고 그 덕에 양배추까지 발그레했다. 친구의 어머니는 입맛에 잘 맞냐며 우리에게 물었다. 아주 맛있다는 대답으로 닭튀김 하나를 더 입에 넣었다.

우리네 집밥처럼 미국 가정에서 먹는 음식들을 알고 싶었다. 한식이라면 늘 떠올리는 불고기, 해물파전, 잡채 외에도 실상 우리네 식탁에 자주 오르는 것들은 진미채 조림과 달걀말이, 콩나물무침이지 않나. 이들의 집에서는 어떤 음식을 집밥으로 먹는지 궁금했다.

음식을 맛있게 먹고 나면 어떻게 만들었는지 궁금해져 레시피를 물어봤다. 그들은 요리에 관심이 많은 나를 흥미롭게 바라보며 친절하게 이것저것 알려주었다. 그러고는 수납장을 열어 세월의 흔적이 담긴 레시피북을 꺼내어 보여 주었다. 레시피북에는 집집마다 내려오는 레시피와 집안을 대표하는 메뉴들이 적혀 있었다. 그리고 음식에 얽힌 추억들을 얘기해 주었다.

'할머니 때부터 내려온 레시피'라는 이야기를 들을 때면 가슴이 두근거렸다. 그 시간만큼이나 헤진 종잇장이 이들이 얼마나 이 음식을 사랑했는지 말해줬다. 그 사랑만큼 음식은 더 깊은 맛을 냈다. 오래된 것은 힘이 있다. 세월의 흔적을 담은 것에서는 빛이 난다.

음식을 먹으며 나누는 하루의 이야기가 정겨웠다. 넓은 식탁에 두런두런 대화를 나누며 음식을 먹었다. 그리고 점점 익숙해져 간다. 이 맛에도, 이들에게도.

한국을 떠나온 지 두 달 남짓이었다. 엄마가 끓여주는 된장찌개와 매콤달콤하게 볶아준 제육볶음이 그리운 때였다. 해외로 여행을 갈 때 캐리어 구석에 컵라면을 욱여넣고, 지치고 빠듯한 일정 끝에 한식을 떠올리듯. 생각해 보면 모든 것이 낯선 곳에서 하나의 익숙함이 필요했던 것인지도 모른다.

아침이 밝았다. 푹 자고 일어나 계단을 내려오니 달큰한 냄새를 풍기는 루바브 머핀과 커피 향이 가득했다. 부지런한 크리스티나는 앞마당에 있던 루바브로 머핀을 구웠다. 지금이야 한국에도 루바브가 알려졌지만, 그때쯤 루바브는 낯선 식재료 중 하나였다. 샐러리처럼 생겼는데 시큼한 맛이 났다. 이런 재료로 디저트를 만든다는 것이 신기했다. 루바브는 주로

잼을 끓이거나 파이와 머핀에 넣어 구웠다. 그녀 덕분에 입맛의 스펙트럼이 넓어지고 있었다.

그녀가 아침에 종종 구워주던 부드러운 구름 같던 팬케이크, 복숭아 통조림을 넣어 진득하게 구워내던 피치 코블러, 루바브를 가득 넣어 굽던 새콤달콤한 루바브 머핀은 잊을 수 없다. 구워주던 디저트만큼 그녀는 달달함 한도 초과였다. 그녀는 내가 한국으로 돌아온 뒤 우리가 함께 했던 사진을 인화해 앨범을 만들고, 자신이 만들어 주던 디저트 레시피를 엽서에 빽빽하게 적어서 보내 주었다.

얼마 전에는 그녀의 피치 코블러 레시피를 오랜만에 꺼냈다. 그녀가 만들어 주었던 맛을 떠올리며 구웠다. 그리고 피치 코블러를 핑계 삼아 연락했다. 새로 산 해먹을 개시한다며 아파트 베란다에 해먹을 걸고 밤새 잠이 들어 감기에 걸렸던 귀엽고 자유로웠던 그녀, 금발의 긴 생머리를 질끈 묶고 씩씩하게 뛰어다니던 그녀.

우리는 참 반짝이던 한 시절을 보냈고, 이십 대 초중반에 만나 삼십 대가 되었다. 그 사이 그녀는 어느덧 두 아이의 엄마가 되었다. 심지가 곧고 사랑이 많은 보고 싶은 나의 친구. 언제까지 잊지 못할 우리의 sweetie.

talenti
GELATO
Peach Cobbler ~ best served warm
melt it in cobbler dish
flour
sugar
Baking Powder
milk ~ mix well ~
Stir until just combined.
Bake at 425°F for 30-35 min.

케이크를 좋아하게 된 이유

내가 케이크를 좋아하게 된 이유는 케이크를 만드는 일이 즐거워서였다. 하나둘씩 만들다 보니 맛있다는 가게를 찾아다니며 먹어보게 됐고, 맛있는 케이크를 먹다 보니 맛있는 케이크를 만들고 싶어졌다. 그때부터 배우고 만들며 내 안에 많은 것들을 쌓아갔다. 그것은 애석하게도 레시피와 경험뿐만이 아닌 밀가루와 버터가 주는 살까지 포함된다. 심란하게 꾸준히 허벅지가 두꺼워진다.

처음 만난 누군가의 친절과 다정함을 선물 받은 기억이 있는가. 돌아보면 삶에서 그런 순간은 신기하게도 많다. 오랜 시간이 지나도 잊을 수 없는 다정함이 있다.

처음 간 곳에서, 처음 만난 사람들이 생일을 축하해 주던 날이 있었다. 우리는 다른 언어를 쓰고 있었고 그리 길지 않은 대화였음에도 왜인지 계속 웃고 있었다. 제이미는 딸기 버터크림 케이크를 만들어 줬다. 실은 슈가 파우더가 입안에서 서걱서걱 씹히는 버터크림이었지만 나는 금방 한 조각을 해치웠다. 그리고 그녀의 마음이 너무 소중해 한 조각을 더 먹었다.

많은 것 중에서도 왜 케이크를 좋아하게 되었는지를 생각했다. 사람들이 모이고 기념일을 축하하는 자리에는 늘 케이크가 있었다. 사람들이 모이는 곳에는 케이크가 있었고, 케이크가 있는 곳에는 사람들이 있었다. 그리고 당신의 나이를 떠올리며 그만큼의 초를 꽂는다. 어두운 방 안을 밝히는 초들 앞에서 당신의 얼굴에는 환한 빛이 든다. 초를 바라보며 두 손을 모아 소원을 비는 당신을 바라본다. 어떤 소원을 빌었는지 궁금하지만 묻지 않는다. 그저 마음을 다해 당신의 삶을 응원한다.

축하하고 기념하는 행복한 순간에 늘 머무는 음식이라는 생각이 들었다. 우리는 케이크를 사이에 두고 울고 웃었다. 고맙고 행복해서 말이다.

나의 케이크가 그랬으면 좋겠다. 누군가를 행복하게 해줄 수 있으면 좋겠다. 당신의 삶을 응원했으면 좋겠다. 어느 멋진 날 우리의 순간을 기록했던 사진을 들여다볼 때, 우리 그리고 케이크와 마음이 함께 있으면 좋겠다.

와인은 또 다른 와인을 부르고

12월에는 크리스마스, 연말, 생일 파티가 이어졌고 그야말로 와인 먹기 딱 좋은 나날들이었다. 무엇보다도 한국에 비해 저렴한 미국의 와인 가격은 매번 나를 휘둥그레지게 했다.

어느 연예인이 마셔 sns 피드를 채우는 고가 와인도 절반도 안 되는 가격에 살 수 있었다. 브런치 레스토랑에 가면 너무 비싸 차마 마실 수 없던 와인도 반값이 되어 눈앞에 있는데 어찌 외면을 할 수 있을지. 12월의 마지막 날같이 특별한 날에 마셔야겠다며 합리적인 소비라 스스로를 설득했다. 궁금증을 이길 수 없다는 이유, 가랑이가 찢어지더라도 유행하는 건 먹어봐야겠다는 이유, '여행인데 이것도 못 해?'하는 갖은 이유를 대며 부지런히 사서 마셨다. 요리하면서도 마시고, 파티에서 사람들과 기분 좋게 마시고, 밤에 영화를 보면서도 마셨다.

와인 샵에 가서 몇 병씩 쟁여도 한국에서의 한 병 가격이었다. 이게 행복이었다.

행복 이후에는 조금의 허탈감이 따라오는 것일까. 한국에 돌아와서는 가격을 보면 좀처럼 와인을 마시기가 어렵다. 슬프게도 현재 나의 와인 생활은 잠정적 중단이다.

잠재적 와인 고래가 된 나 때문에 술을 즐기지 않던 친구 집 와인 렉에는 와인이 쌓이기 시작했고, 분리수거 통은 빈 와인병이 하나둘씩 채워졌다. 분리수거를 할 때마다 빈 병들을 보며 나의 지난날을 조금 머쓱하게 떠올렸다.

어느 날은 파이를 만드는 데 파이 밀대가 보이지 않았다. 이미 반죽은 숙성까지 끝낸 상태였다. 이가 없으면 잇몸이라고, 아일랜드 위에 그저께 마신 빈 와인병이 보였다. 와인병은 밀대의 역할을 톡톡히 해냈다. 와인은 이렇게 홍익인간 정신으로 널리 이롭게 한다. 그렇게 만들어진 키쉬 파이에 화이트 와인은 빼놓을 수 없다. 또 와인을 곁들였다. 와인은 역시 또 다른 와인을 부른다.

하루는 친구의 시어머니께서 와인 좋아하는 며느리 친구를 위해 박스형 와인을 사다 주셨다. 이런 경험 흔치 않다. 나는 민망한 행복을 경험했다.

"어머니 감사합니다! 잘 마실게요!" 하고 씩씩하게 와인을 받았다.

어머니의 은혜에 보답하기 위해서라도 나는 여러 핑계를 대며 와인을 마셨다. 어머니 덕분에 넷플릭스를 보는 밤에 와인을 마시고, 어느 날에는 저녁 식사에 곁들이고, 어떤 날에는 그냥 마셔야 하니까 마신다는 핑계까지 나왔다.

와인은 어떤 음식에도 곁들이기 좋고, 처음 만난 사람들과도 부담 없이 가까워지기 좋았다.

사실 그렇다. 좋은 이유가 많아서 좋다기보다 와인이 좋아서 좋은 이유를 만들어 본다. 누군가를, 무언가를 좋아하면 이유 없이 그냥 좋듯 말이다.

밀라노의 식탁

스물다섯, 친구와 유럽 여행을 처음 떠났다. 첫 번째 여행지는 이탈리아. 가장 기대했던 나라였던 만큼 포지타노, 로마, 피렌체, 베네치아의 여행은 정말이지 행복했다. 독일로 이동하기 위해 밀라노를 마지막 일정에 넣었다. 사실 밀라노는 굳이 여행을 위한 도시는 아니었고 단지 이동을 위해서였다.

밀라노에 도착해 숙소로 향하는 길, 짐으로 가득 찬 캐리어는 거친 길 위에서 금방이라도 바퀴가 빠질 것 같았다. 실제로 꽤 긴 시간 여행을 하다 보면 내 짐을 담아주던 캐리어가 되레 짐이 되는 경우가 많다. 둔탁하고 요란한 소리를 내며 끌 수밖에 없었다. 골목 가득 소리를 채우다 물어물어 어렵게 숙소에 도착했다. 호스트는 친절했고 우리를 미소로 반겨주었다.

밤에도 불이 꺼지지 않고 24시간 편의점이 있는 한국은 살기에도 먹기에도 편하다. 그러나 이곳은 유럽이었다. 초저녁이 되면 문을 닫는 가게가 많아 끼니를 놓치는 일이 잦았다. 이날도 이동하다 하루를 다 보내고 나니 대부분의 가게가 문을 닫을 시간이었다. 저녁을 먹지 못한 우리는 서둘러 주변에 문 연 가게를 검색했지만 있을 리 없었다.

우리의 불안한 눈빛을 읽어내기라도 하듯 호스트는 우리에게 저녁을 먹지 못했냐고 물었다. 고개를 끄덕이자 주변에 레스토랑은 거의 문을 닫았을 거라고 말했다. 괜찮으면 집에 있는 것들로 저녁을 만들어 주겠다고 했다. 배고프고 긴 이동에 지친 우리는 염치 불고하고 그 친절을 넙죽 받아버렸다.

이십여 분이 지났을 즈음, 근사한 저녁 식탁이 차려졌다. 식탁 위에는 어느새 파스타와 와인이 있었다. 그녀의 어머니가 직접 만드셨다는 바질 페스토로 만든 파스타였다. 향긋한 바질의 향과 쿰쿰한 치즈가 적절히 섞인 파스타는 정말 맛있었다. 그녀는 살뜰하게 식탁에 함께 앉아 계속 이야기를 이어갔다. 여행은 어땠냐며, 이탈리아는 어디가 가장 좋았냐며.

처음 만났음에도 그녀의 따뜻한 배려 덕분에 우리 사이에 어떤 흐릿한 벽이 무너진 느낌이었다. 식탁은 모든 벽을 허물었다. 처음 밟은 땅에서 처음 만난 사람과 이렇게 눈을 마주치며 이야기하고, 마음이 가득한 음식을 먹고 있으니 아마 나는 평생 식탁을 떠날 수 없으리라는 것을 조용히 느끼고 있었다. 서로가 서로에게 이방인인데, 우리는 그 식탁에서 서로를 받아들이고 있었다.

그리고 그녀는 부지런히 아이스크림을 꺼내 디저트 접시에 담았다. 첫 번째 여행지에서 봤던 포지타노의 리몬 첼로를 꺼냈다. 달콤한 아이스크림과 함께 먹으면 더욱더 맛있다며 아이스크림과 리몬 첼로를 내어줬다. 8년 전 일이지만 지금도 리몬 첼로를 보면 그때 생각이 난다.

무언가를 보면서 누군가를 떠올리는 일, 무언가를 보며 지난 시간을 추억하는 일이 삶을 가득 채운다. 디저트까지 든든하게 먹고, 따뜻한 저녁 시간을 보냈다. 피로가 쌓였을 우리를 위해 그녀는 잠자리를 마련해 주었다. 밀려오는 피로와 낯선 곳에서 느끼는 안도감 덕분인지 깊은 잠에 들었다.

허투루 시간을 보낼 수 없는 여행자의 신분이라는 것을 일깨워 주는 건 예약해 둔 기차표 시간이다. 다음 일정을 위해 다시 집을 나설 준비를 했다. 이미 출근한 그녀가 퇴근 후 집으로 돌아오면 조금이라도 기뻤으면 좋겠다는 생각이 들었다. 그녀에게 무언가를 해주고 싶어 한국 지폐를 꺼내 편지를 썼다. 당신의 친절과 배려 덕분에 밀라노를 더 기억하게 되었다고.

여전히 리몬 첼로와 바질 페스토를 보면 밀라노와 그녀를 떠올리듯, 그녀도 편지가 빼곡히 적힌 지폐를 보면 우리를 떠올려 준다면 좋겠다. 당신의 다정과 배려로 우리는 잊을 수 없는 바질 페스토 파스타를 맛봤다. 그때 당신의 식탁에서 아마도 내가 평생 식탁을 떠날 수 없겠다는 것을 느꼈다.

그리고 내가 계속 걸어가야 할 길이라는 것을 알려주어 고맙다고 덧붙이고 싶다.

100% STONE GROUND
WHOLE WHEAT
ORGANIC FLOUR
AMERICA'S BEST BAKING FLOUR
BREAD BROWNIES MUFFINS
COOKIES PANCAKES ROLLS
BUNS BAGELS PIZZA CRUST
Cooking Without Fat by George Matelja
MARTHA STEWART

3부

사랑과 마음

가장 먼저는 사랑이라

물건들이 동이 나고 세상이 얼어버렸던 때가 있었다. 우리의 마음은 부서지고, 갈라지고 있었다. 모든 것이 멈춰버린 어느 날부터 주변 가게들이 문을 닫았다. 나 역시도 얼마나 가게를 비워야 할지 가늠도 되지 않아 가게로 나가 청소를 했다. 잔뜩 목이 말랐을 화분에 물을 주고, 가게 안을 소독했다. 골목길은 조용했고 사람들은 보이지 않았다.

매일 같은 시간 즈음에 폐지를 주우시는 할아버지는 변함없이 수레를 끄시고 폐지를 주우셨다. 할아버지의 얼굴 위로 마스크가 더해졌을 뿐, 달라진 건 없었다.

모든 것을 멈출 수 없다는 것도 희미하게 느끼고 있었다. 말이 안 되는 상황 속에서도 우리는 살아가야 한다는 것을, 움츠러들고 겁이 나더라도 일상을 살아가야 함을 보았다. 어쩌면 세상을 뒤덮은 바이러스보다 삶이 더 무겁게 느껴졌을지도 모르겠다고, 할아버지의 깊게 팬 주름을 보며 슬퍼졌고 눈물이 났다.

시간이 흐르고, 계절이 바뀌고, 사람들은 이맘때쯤 매년 같은 음악을 들으며 만개할 꽃을 기다리고 있었다. 차디찬 겨울이 지나고 따뜻한 봄날 같던 찰나의 시간이 서글프리만큼 겨울보다도 차가운 계절이 오던 때였다. 얼마나 많은 아픔이 들어야 이때가 지나갈지는 모르겠다고 생각했다. 그저 우리는 각자의 자리에서 해야 할 몫들을 해나가는 것, 서로의 안부를 물어보는 것, 마음을 내어 모두의 안녕을 기도하는 것밖에는 방법이 없었다.

서로의 말에 집중하기 위해 서로의 입술을 바라보던 다정한 시간의 그때처럼, 우리 사이에 어떤 벽도 없이 다정한 시선으로 마주할 날을 기다릴 수밖에 없었다. 그저 당신이 무탈하고, 안녕하기를 바랐다.

끝이 언제일지 모르는 기약 없는 시간은 생각보다 길어졌다. 그리움은 깊어지고, 보고 싶은 사람을 보지 못한다는 것이 얼마나 슬픈 일인지를 실감했다. 손님은 만나지 못하는 가족을 생각하며, 그리움만큼이나 깊은 마음을 담아 꽤 오랜 시간 전부터 케이크를 예약해 주셨다. 깊은 그리움을, 그 마음을 오롯이 느낄 수 있었다. 그래서 더 조심스레, 정성스레 케이크를 만들었다.

그리고 몇 년의 시간이 흘렀다. 이제 제법 많은 것들이 제자리로 돌아왔고 회복되었다. 많은 것이 바뀌었고 여전히 바뀌고 있다. 다시는 이전으로 돌아갈 수 없음을 말하지 않아도 모두가 알고 있다. 갈라졌던 마음의 조각들이 다시 조금씩 붙어가고, 사랑이 전부인 세상에서 서로를 사랑하지 못했던 지난날의 나를 바라봤다.

정말 그랬다. 어떤 아픔이 우리를 멀어지게 했다. 그럼에도 그 속에서 마음은 피어났고 사랑은 승리했다. 이제는 풀려버린 오해들이 서로를 더욱 깊게 했다.

마음을 전하는 일, 사랑하는 일은 어쩌면 우리네 삶에서 전부일지도 모르겠다고 생각했다. 우리는 평생, 누군가에게 마음을 전하고 그 마음을 받고, 사랑하고 사랑받으며 살고 있음을. 그것이 우리를 깊어지게 하고 조금 더 나은 사람이 되고 싶다고 생각하며 살아가게 한다.

나는 오늘도 생각한다. 어떤 것도 사랑 위에 있을 수 없음을.

오늘도 나와 내 일상 위에 놓인 사랑에 감사하며, 나의 작은 사랑을 보낸다.

편지

많은 사람들과 다양한 모양의 삶들 속에서 비슷한 생각을 나누며 살아가는 일은 쉽지 않다.
깊은 밤에 하루를 마감하며, 좋아하는 장소에서 맥주를 마시다 나를 떠올렸을 그녀를 생각했다. 저녁 즈음 sns에 올렸던 나의 글을 읽다가, 문득 편지를 써주고 싶었다는 귀한 마음을 건네받았다. 그녀는 아마도 단골 맥주집 사장님께 펜과 휴지를 받아 편지를 썼을 것이다. 당장 만날 수 없으니 손으로 쓴 편지를 사진 찍어 보내왔다. 그리고 늦은 새벽에 사진 속 편지를 읽다 마음이 차오르는 것을 느꼈다.

1997년, 매일 밤 9시 뉴스에는 IMF 이야기가 나오고 있었다. 일곱 살의 꼬마도 뭔가 좋지 않은 상황임을 느꼈던 것 같다. 기업들이 도산하고, 실업률이 폭등하는 이야기로 가득했다. 일자리를 잃은 사람들이 집으로 돌아가지 못한 채 길거리로 나오고 있다는 안타까운 뉴스가 계속됐다.

그해에 우리 가족은 떨어져 살고 있었다. 나보다 다섯 살 많은 초등학생 오빠와 유치원생인 나, 엄마가 한집에 살았고 아빠는 일 때문에 다른 지역에서 살고 있었다. 지금처럼 메신저가 있다거나 핸드폰 사용이 활발하기 전이라 우리는 매주 편지를 썼다. 그때 우리 가족은 정말 많은 편지를 주고받았다. 편지지, 찢은 연습장, 무엇이든 비어있는 종이는 편지지가 되었다. 깊은 그리움이 우리의 편지지에 배어 있었다.

뉴스에 나오는 것처럼 아빠가 혹여나 일자리를 잃었는데 집에 들어오지 못하는 것이 아닐까 걱정됐다. 나는 아빠에게 편지를 썼다,

“아빠. 보고 싶어요. 일자리를 잃더라도 집으로 꼭 돌아오세요.”

아빠는 이렇게 답장이 왔다.

“연지가 걱정하는 일은 일어나지 않을 거야. 현재 우리나라 사정이 매우 어려운 시기이지만, 아빠는 우리 가족들의 염려 덕분에 이 시기를 잘 이겨내리라 본다. 이럴 때일수록 우리보다 더 어려운 사람들을 생각하며 몸과 마음을 가질 줄 알아야 해. 연지는 이런 착한 마음씨를 가졌으니 아빠는 기쁘구나.”

세월이 한참 지난 편지를 읽는다. 엄마와 아빠의 가장 애틋했던 시절을 훔쳐보는 것 같았다. 연애가 아닌 결혼 생활에서 매주 주고받는 러브레터라니. 엄마와 아빠는 서로를 당신이라 부르며 신뢰하고 위로했다. 언젠가의 좋을 날을 떠올려 보며 그저 성실하게 살아갈 뿐이었다. 지친 하루의 끝에서 언제나 서로를 떠올리며 편지를 썼다. 우리 가족의 가장 아팠던 시간이었지만, 모두에게 가장 애틋했던 시간이었기도 하다.

엄마가 아빠에게 쓴 편지에 이런 내용이 있었다.

“연지는 매일 밤 당신이 보고 싶다고 말해요. 언젠가 우리 가족끼리 여행을 가고 싶다고도 말하네요.”

매일 아빠를 찾고 그리워하며 아빠를 불렀을 나의 일곱 살. 그러다 엄마 품에 안겨 울다 잠이 들었을 꼬마 아이. 그런 나를 보며 마음 아파했을

엄마를 생각하면 지금도 마음이 아리다. 편지를 읽으면 이십 년도 더 된 그 날로 돌아가는 것만 같다.

편지는 아마도 사라지지 않을 것이다. 메신저가 발달해 손 편지를 쓸 일이 많이 사라지기는 했지만 그렇기에 우린 그것을 더욱 소중하게 생각한다.

사랑하는 사람에게, 그리운 사람에게, 의미 있는 사람에게 손 편지를 쓴다. 삐뚤빼뚤한 글씨에도 꾹꾹 마음을 들여 쓴다. 누군가를 생각하며 정성스레 썼을 편지를 떠올린다.

아빠에게
아빠! 이제 5월 8일 어버이
날이 다 되어가네요. 아빠!
아빠가 지금 없어서 카
네이션도 달아드리지 못하니
참 죄송해요! 아 참 이 카드는
학교에서 어버이, 선생님께 보내는
편지인데 이걸 우리가 사서 그 연
돈으로 불우 이웃을 돕는 행사 예지
요. 그래서 저는 내 돈으로 아빠 올
께랑 엄마께랑 선생님께를 샀어요. 아빠 림,
안녕히 계세요 -1999, 5월 6일-

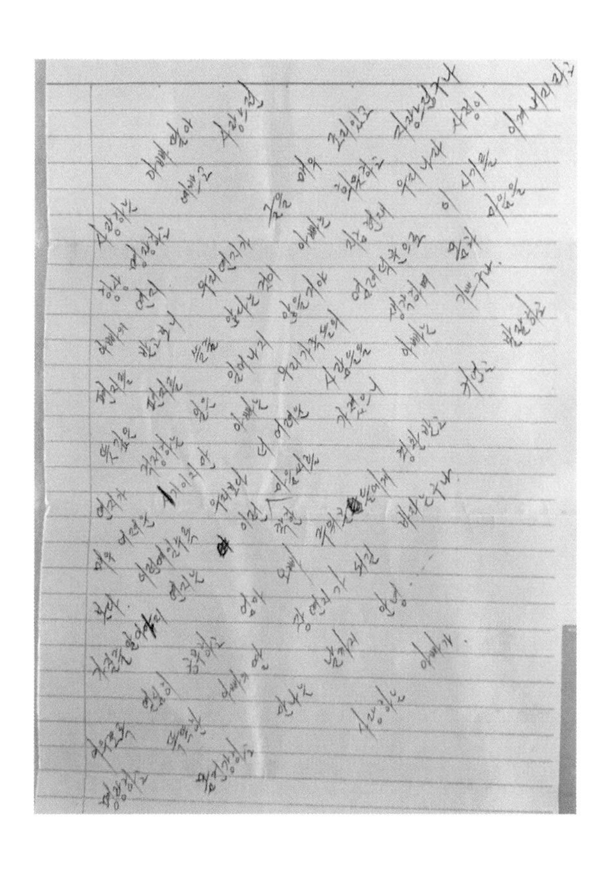

그래도 괜찮은 밤

베네치아에 왔다. 해가 저물고 밤빛을 흠뻑 먹은 건물들이 물 위로 흐드러졌다. 반짝였다.

밤이 되면 차분하게 마음을 내려놓게 된다. 어둠은 우리에게 관대함을 준다. 그래서인지 그리운 마음이 삐걱대고 올라온다. 그리움도 이런 밤이면 괜찮을 것만 같다.

메마른 나뭇가지에 아슬히 한 잎 돋아나고 지는 그 모든 시간들처럼, 당신의 한 마디 한 마디에 내 마음이 돋아나고 지던 때가 있었다.

그 모든 순간들이 당신을 향한 시간이었다.

어둠이 내린다. 밤빛이 서서히 마음에 스며든다.

당신을 그린다. 고마운 도시였다.

꿈을 꿨다. 여기에서 당신을 기다리고 있었다.

당신은 여전히 알 수 없었고 자유로이 아름다웠다.

변하지 않는 당신의 모습에 나는 알고 있었다. 이 시간이 오래가지 않을 것이란 것을.

얼마나 당신을 기다렸을까. 얼마나 당신을 떠올리며 울었을까.

당신도 나를 생각하면서 조금 울어주기를 바랐다.

눈물이 우리의 시간을 말해주지는 않겠지만, 적어도 그날 밤만큼은 그랬으면 좋겠다고 생각했다.

우리는 아마 그때쯤

우리는 아마 그때쯤, 순간이라는 바다가 있다면 그것에 흠뻑 젖어있었던 게 아닐까 생각한다. 그리 길지 않은 세 달이었지만 마치 아주 오랜 시간 함께 해 온 것처럼 깊어져 있었다.

삶에서 삼 개월은 그리 길지 않은 시간일지 모르지만, 나고 자란 곳이 아닌 곳에서의 삼 개월은 짧지 않은 시간이었다. 그곳에서 많은 사람들을 만났고, 그만큼 많은 마음을 나누었다.

매일 아침 머리에 헤어밴드를 끼고, 앞치마를 매고 팬케이크를 굽거나 스크램블 에그를 만들었다. 또 누군가는 식기세척기를 돌리고 청소를 했다. 어느 날에는 캠프장을 다니며 나뭇가지를 줍고, 기념품 샵에서 티셔츠를 수없이 접었다. 저녁에는 아이스크림 가게에서 캠프에 온 아이들에게 아이스크림을 담아주고, 피자 가게에서 피자를 데우는 일을 하기도 했다. 그곳에서는 작고 큰일이 없었다. 그저 각자에게 주어지는 다양한 역할들을 유연하게 해냈다.

짧지 않던 시간이 끝나가는 어느 날, 그곳에서 만난 친구 켈리가 먼저 떠나는 날이었다. 각자의 오전 업무를 끝내고 난 후, 작별 인사를 해야 했다. 우리의 시끌벅적하고 따뜻했던 시간도 끝이 오고 있음을 알았다. 작별 인사를 하기에도 애매한 공간, 그러니까 아주 작은 창고 입구에서 서로를 끌어안고 인사했다. '언젠가 꼭 다시 만나자, 그동안 고마웠어.'라는 말밖에는 할 수 없었다. 서로를 끌어안고 울었다. 우리를 환영해 주었고, 배려해 주었고, 사랑해 주어서 너무 고마웠다고 말했다.

지나온 시간의 끝에서 우리는 늘 고마웠다는 말로 기억을 매듭짓는다. 나와 함께해 주어 고마웠고, 나를 만나 주어 고마웠다고 말한다. 눈물을 흘릴 만큼 고맙다고 말하는 소중한 사람이 한 명씩 늘어나는 것도 삶이고, 그런 사람에 대한 기억이 흐릿해져 가는 것도 삶이다. '꼭 다시 만나!'라고 말하지만 다시 만나는 일이 쉽지 않다는 것도 이제는, 알고 있다.

그래도 당신을 만날 수 있어 좋았다고, 함께 하는 동안 후회 없이 사랑할 수 있어 고마웠다고 말하고 싶다. 그래서일까. 더 소중하고 애틋하고, 고마웠던 기억으로, 내게 참 고마웠던 사람들로 남아있다.

사랑은 계속 흐르고 있다

누군가에게 별이 되고 우주가 된다는 건 무엇일까 생각했다. 그런 근사하고 낭만적인 존재가 될 수도 있다니. 그런 고백을 할 수 있다는 사실에 놀라웠다. "당신은 나의 별이고, 우주예요."라고 얘기하는 사람을 어떻게 사랑하지 않을 수 있을까.
언젠가 사랑하는 사람에게 그런 말을 할 수 있는 용기가 생긴다면 꼭 해보리라 생각했다. 꼭 별이나 우주가 아니더라도 나에게 그만큼 근사하고 낭만적인 대상에 빗대어서 사랑을 얘기해 줄 것이라고.

우리는 비유적인 사랑의 표현을 참 좋아하는 것 같다. 어릴 때부터 누군가 "얼마만큼 좋아?"라고 물어오면 "하늘만큼 땅만큼!"이라고 대답했고 '당신은 나의 봄이다.'라는 멋진 말도 있듯 말이다.

사랑한다는 말로는 부족할 것만 같아서, 어쩌면 사랑하는 것보다 당신을 더 사랑해서 그럴지도 모르겠다.(사랑하는 것보다 더 사랑하다니, 이런 사랑이 정녕 있는 거겠죠?)

사랑은 계속 흐르고 있다. 넘치도록 충분히 받았던 그 사랑을 흘려보내며 살고 싶다. 사랑을 흘려보내는 방법을 알기 위해 살아가고, 부딪히고, 울고 웃는다.

내가 과연 다른 누군가를 사랑할 수 있는 사람인지는 모르겠다. 그저 충분한 그 사랑이 내 안에만 머물지 않기를 바란다. 사랑을 받기만 하지 않고 마땅히 나눌 줄 알기를 바란다.

사랑은 머문다. 당신을 만나고 당신에게 머물렀던 진득한 마음이 사랑이 되었다. 당신을 향해 쏟은 정성들이 사랑이 되었다. 생각해 보면 그랬다. 우리가 만나고 사랑하는 모든 순간들이.

엄마는 세상 밖으로 나오기 전의 나를 열 달 동안이나 품고 있었다. 나는 그렇게 머물렀다. 당신의 진득한 마음을, 지극한 마음을 누리며 말이다. 그리고 나는 세상 빛을 보게 됐고, 내 세상의 전부였던 엄마가 마음으로 품어주었고 사랑을 흘려보내 주어 지금 또 다른 세상을 걷는다. 품고 머무는 사랑에서, 흘려보내는 사랑이 되기까지. 나는 그렇게 자랐다.

훗날 나도 엄마가 된다면 사랑을 품는 날이 오겠지. 사랑하는 아이의 세상이 바뀌어도 여전히 마음으로 품을 것이다. 엄마가 나를 품은 대로 나 역시도 말이다. 그리고 여전한 사랑을 흘려보내겠지 너에게로. 너는 그 사랑으로 세상을 걸을 거야.

내가 받았던 사랑만큼 나도 그 사랑을 흘려보내고, 그렇게 계속 흘러간다.

그곳의 위로

사랑의 도시라 불리는 곳, 피렌체에 갔다. 도시는 붉게 물들어 있었다. 당신에게 물들었던 그때가 생각이 났다. 냉정과 열정 사이 속 주인공이 되어 자신만의 쥰세이, 아오이를 마음껏 떠올릴 용기를 주는 그곳을 사람들은 사랑의 도시라 부른다. 붉게 물든 전경을 내려다보고 있으면 마치 사랑에 빠진 사람의 얼굴빛 같다.

그들의 모습을 통해 알 수 있었다. 서로에게 최선을 다하는 순간 우리는 만날 수 있다는 사실 말이다. 순간을 스치는 것으로만 여기지 않는 성실함으로 사랑하고 그리워하며 서로에게 다다랐다. 그들은 마음과 마음으로 만나고 있었다. 내 마음이 당신에게 닿기를 바라며 정성스레 사랑하는 것뿐이었다. 그들이 긴 여정을 걸어온 것처럼 우리도 이곳에서 마음을 다해 만났으면 좋겠다. 그리고 당신이 떠올랐다. 여행이라는 핑계를 대본다. 그리고 당신을 마음껏 떠올려 본다. 여행이 주는 용감함을 조금 더 가져본다. 어느새 당신은 내 옆에 서 있다.

당신이 떠난 후 나는 귀가 먹먹했다. 아무 말도 들리지 않았다. 사실 듣고 싶지 않았다. 시간이 해결해 줄 것이라는 무책임한 말이 싫었다. 타인의 아픔에 적절한 위로를 찾지 못한 사람들이 만들어 낸 말 같았다. 시간이 흘렀다. 어느새 나도 같은 아픔을 겪은 이에게 별다를 것 없이 무책임한 위로를 해줄 수밖에 없었다. 그 말이 정답이었다.

그때 당신이 내 곁을 떠나지 않았더라면, 당신에게 조금이라도 내 진심을 전할 수 있었더라면 우리는 지금 어떤 모습일까 생각했다. 당신이 이별을 말하던 때는 내가 당신을 사랑하고 있었다는 것을 처음 느꼈을 때였다. 그제야.

사랑이 오면 이별도 온다지만 그렇게 한 번에 올 줄은 몰랐다. 사랑은 말없이 성큼 다가왔듯 사랑이 떠나던 순간도 그랬다. 너무 늦게 마음을 깨달은 내가 안타깝고, 외로웠을 당신에게 미안했다. 당신이 원하는 대로 해주고 싶었다. 그게 나의 마지막 배려였고 당신에 대한 존중이었다. 그렇게 우리는 이별했다. 그때 내가 조금 더 이기적이었다면, 당신을 덜 사랑했더라면 우리는 지금쯤 이곳에 함께 서 있을 수 있을까 생각했다.

누군가 그런 말을 했다. 사랑에 있어서는 어떤 가정이나 이유는 없다고 말이다. 물이 흘러가듯 두 사람도 그렇게 흐르는 게 아닐까 생각했다. '내가 조금 더 이기적이었다면' 하는 가정이나 그를 사랑했던 정도와는 상관없이 우리는 그래야만 했던 것뿐이다.

당신을 사랑하는 일에 이유가 없었듯, 우리가 헤어지는 일도 그랬다. 그것을 받아들이기까지는 긴 시간이 걸렸다. 그리도 끝나지 않던 당신과의 시간에서 마침내 이별할 수 있었다.

해가 저문다. 야경을 보기 위해 미켈란젤로 광장으로 가는 길이다. 피렌체에서 가장 오래된 다리, 베키오 다리를 마주했다. 저녁 빛을 머금은 아르노 강은 베키오 다리를 빛나게 했다.

마치 사랑이 서로를 빛나게 하듯 말이다. 사람들은 저마다 같은 곳을 바라보며 행복해했다.

같은 곳을 바라본다는 것, 우리의 시선이 함께 머무는 것은 사랑이었다. 우리가 베키오 다리를 바라보며 사랑을 약속한 것처럼, 오래된 다리는 우리를 보며 사랑을 기억해 줬다. 같은 자리에서 수많은 연인들의 사랑을 약속받으며 오랜 시간 머물러줬다.

당신을 만나러 가는 길, 당신에게서 돌아오는 길은 어쩌면 하나의 길이었을지 모른다. 당신에게로 가는 길에 선택은 없었다. 우리의 이별이 그래야만 했던 것처럼 우리의 사랑도 그랬다. 나는 그 길을 걸어갔고 그 길을 걸어 나왔다. 다만 당신을 만나러 가는 길에는 웃었고 당신에게서 돌아오는 길에는 울었다.

다시는 걷고 싶지 않던 길 위를 걷기로 했다. 긴 시간이 준 다소 무책임한 위로가 나를 다시 걷게 했다. 당신을 만나러 가는 길은 그때의 나를 마주하는 일이었다. 당신을 떠올리는 일은 그때의 나를 기억하는 일이었다. 그때의 기억이 아릿하게 스쳐갔다. 그래도 나는 길 위에 올랐다. 당신이 떠나고서야 사랑이었음을 알았던 서툴렀던 나를 안아주고 싶어서였다. 다음에는 망설이지 말고 마음을 다해보라고 얘기해 줬다. 사랑하는 마음을 자연스레 낭비해 보라고 얘기해 줬다. 무엇보다 값진 낭비가 될 것이라고 덧붙였다.

미켈란젤로 광장에 도착했다. 사람들은 각자의 방법으로 풍경을 즐겼다. 나는 오랫동안 눈에 담기로 했다. 어스름한 때를 지나 어둠이 내려앉았다. 미켈란젤로 광장에서 내려와 숙소로 돌아가던 길에 만난 사람들이 있었다. 각자의 악기로 연주를 했다. 삶 곳곳에 예술이 묻어있었다.

그들을 바라보는 누군가는 박수를 쳤고 춤을 추며 환호했다. 이처럼 자유로운 곳에서 나도 조금은 흐트러지고 싶었다. 해야만 하는 것들이 많았던 때에서 벗어나 마음이 원하는 것들에게로 따라가 보는 시간이 우리에게는 필요했다. 여행은 적어도 그랬다.

여행 가방에 하나라도 더 넣어보겠다며 꾹꾹 눌러 담던 옷들과 비상약들 끝에는 이유라는 것이 있었다. 혹시라도 삐져나올까 얼마나 눌러 담았는지 모른다.

각자의 삶만큼이나 다양한 이유들이 우리의 여행에 있다. 어느 여행지에서 그 이유들이 흘러 나올지 모르지만 그것이 나만의 여행을 만들 것이다. 이유가 없을지라도 괜찮다. 어떤 이유든 감정이든 넉넉하게 안을 수 있는 것이 여행이다.

한 번의 여행으로 많은 것들이 바뀌지는 않는다는 것을 안다. 하지만 우리는 조금 넉넉해진다. 여행이 나를 안아주던 넉넉함을 기억하며 나도 누군가를 안아줄 용기가 생긴다. 그때의 나를 안아주게 된 것도 여행이었다. 특별한 것을 남기지 않더라도 여행이라는 울타리 안에서 머물렀던 시간만으로도 충분하다.

당신에게 닿기 위해 애썼던 수많은 순간 끝에서 피렌체를 만났다. 당신을 만난 곳도, 당신과 이별할 수 있었던 곳도 모두 피렌체였다. 사랑과 이별이 한순간에 머물렀던 그때처럼, 나는 이곳에서 다시 사랑했고 이별했다. 그리고 그때의 나에게 위로를 건넬 수 있었다. 모두 피렌체 덕분이었다.

진짜 위로가 무엇일까 생각했다. 시간이 해결해 줄 것이라는 분명한 답을 가진 날카로운 위로보다 따뜻한 위로를 찾고 싶었다. 그것이 정답과는 조금은 멀더라도 말이다.

사랑이든, 삶이든, 여행이든 정답만을 향해 가는 것은 아니니까. 여기저기 헤매던 순간들이 모여 나를 이곳에 데려다주었다. 이제 그만 헤매고 저기로 가야 한다는 말보다 이곳에서 마음껏 그리워해도 좋다고 했다. 마음을 에는 정확한 위로보다 더디지만 있는 그대로의 나를 받아주는 이곳만의 위로가 좋았다.

사랑을 그리워하는 이들에게, 이별하지 못하는 이들에게, 위로가 필요한 이들에게 말해주고 싶다. 여기, 피렌체에 오라고 말이다. 넉넉한 품을 가진 이곳에서 마음껏 그리워하고 사랑하고 이별하기를 바란다. 여행이 내게 주던 넉넉한 품처럼 나도 그대에게 여행이 되기를 기도한다.

삐져나오는 마음을 억지로 누르지 말고 흘러가게끔 두어도 괜찮다. 그렇게 흘려보냈고 흐르다가 여기까지 왔다. 마음이 원하는 것들에게로 따라가 보는 시간을 허락하는 것이 여행이고, 삶이고, 사랑이라고 믿는다.

용기에도 용기가 필요합니다

용기가 필요했던 여행의 시작점에서 용기를 냈던 지난날의 나를 토닥인다. 곧 긴 여행을 떠날지도 모르겠다는 사실을 나 그리고 주변 사람들도 예상하고 있었다.

덜컥 비행기 표를 끊은 날, 이전과는 다른 느낌이 들었다. 여행을 앞두고 설레는 마음보다 걱정이 앞섰다. 잘한 선택인지 스스로에게 묻고 또 물었다. 그토록 꿈꾸던 여행이었음에도 마냥 즐겁지만은 않았다. 그런 기분을 안고 퇴근 후 집으로 갔다.

경기도-서울 왕복 네 시간을 출퇴근에 쏟아부은 적이 있다. 출근은 나름 산뜻하게 시작했지만 퇴근할 때쯤은 좀비가 따로 없었다. 이런저런 조건을 따지다 회사에서 가까운 쉐어하우스에 잠시 동안 사는 방법을 택했다. 같은 방을 쓰는 룸메이트는 마침 나와 동갑이었고, 둘 다 특이한 라이프 스타일을 고수하고 있지도 않아 무난하게 잘 지낼 수 있었다.

모든 관계에는 선이 있다고 생각하기 때문에, 그녀와도 적당한 선을 지키며 지내는 게 좋겠다고 생각했다. 그러나 선은 또 넘으라고 있는 것이지. 우리는 알게 모르게 서로 비슷한 사람이라는 것을 느끼고 있었던 것 같다.

비행기 표를 끊고 착잡한 마음으로 돌아와 처음 만난 사람이 그녀였다. 그날 우리는 방에서 맥주를 처음 마셨다. 이런저런 이야기를 나누면서 오후에 벌인 일을 얘기했다. 그녀의 첫 마디는 '잘했다, 정말 멋있다.'였다. 그러면서 자신의 용기 있었던 지난 여행들을 얘기하기 시작했다. 비슷하다고 생각했지만 생각한 것보다 더 비슷한 부류의 사람이었다.

우리는 그렇게 선을 넘고 친구가 되었다. 어쩌면 몇 달 보고 그냥 스칠 수 있는 사람이었지만, 인연이 될 수 있을 것 같은 생각이 들었다. 꼭 만나야 할 사람은 정해져 있기도 하다지만, 인연은 만들어 가기도 하는 것이니까.

지난날 나에게 용기를 심어주던 타인들에게 고마움을 전한다. 내게 아직도 용기가 있다는 사실이 나를 또 한 번 용기 내게 했다.

좋아하던 사람과 헤어지던 날에 나는 어떤 말도 하지 못했다. 그가 이별을 말할 때, 당신을 여전히 좋아하고 있다고 말할 용기를 내지 못했다. 늦어버린 내 마음을 이제야 알게 되었다고, 그것은 당신을 많이 좋아한다는 것이라 말하지 못했다.

누군가 이별을 말할 때 누군가는 사랑이 마음에 닿는 일이 일어났다. 그렇게 나는 사랑에 닿자마자 이별했다. 그때 용기를 내지 못한 탓인지, 그와 이별한 후 꽤 오랫동안 사랑에 대해 생각했다. 누군가를 좋아한다는 것은 무엇일까, 좋아하는 마음보다 더 크고 넓은 것이 사랑이라면 그 엄청난 일을 다시금 해낼 용기를 가질 용기가 내겐 없었다.

용기에도 용기가 필요했다. 그리고 시간이 아주 많이 흐른 뒤에 생각했다. 그때 용기가 없어 이별을 막지 못했을까, 조금 더 용기를 냈더라면 어땠을까 하는 조금 늦어버린 생각들 말이다. 아마 이별을 조금 늦출 수는 있었을지 몰라도 언젠가는 이별했을 것이다.
용기를 내지 못했던 지난날에 대한 변명은 아니다. 그저 모든 것에는 적당한 때가 있다는 것을 알게 되었다.

다시는 내 마음을 늦게 알아채지 않기를, 사랑하는 마음만큼은 아끼지 않고 살기를, 용기가 필요한 때에는 기꺼이 용기를 내며 살 수 있는 내가 되고 삶이 되기를 바란다.

그리고 나는 용기를 미루지 않기로 했다. 모든 것에는 적당한 때가 있다는 말을 믿으니까.
용기를 냈기에 우리는 인연이 되었고, 나는 여행을 떠날 수 있었다.
언제 어디서나 앞에 놓일 현실을 두려워만 말고, 할 수 있을 때를 등지지 말자는 생각으로 나는 여행을 떠났다. 그리고 넘치도록 많은 것을 안고 왔다.
여행에도, 사랑에도, 삶에도, 인연에도 용기는 늘 필요했다.

나의 바다

떠나는 순간이나 이별하는 순간에는 모든 것들이 애틋해지고 그리워지기 마련이다.

여행의 끝을 떠올려 보면 나는 늘 편지를 썼다. 돌아가면 넘치는 그리움이 밀려올 테니, 내가 할 수 있는 것은 그동안의 시간을 기억하고 기록하는 것이었다.

모두가 잠든 밤, 엽서를 꺼냈다. 이곳에서 만났던 사람들, 함께 시절을 공유한 사람들에게 편지를 쓴다. 훌쩍 다가와버린 마지막을 실감하고 있었다.

그리울 것들을 두고 간다. 이곳에서 삶을 지켜나가는 사람들을 보며, 나의 삶의 터전으로 돌아가면 더 잘 살아야겠다고 생각한다. 소중한 하루가 더 소중해졌다. 그리고 더 사랑할 수 있었다. 이날이 지나면 다시 볼 수 없을 것 같은 장면들을 더 깊이 기억하고 새겼다. 마음 깊이 응원하고, 존경하고, 삶을 바라봤다.

그리워질 것들은 힘써 더 기억하려고 눈에 담았다. 사랑하는 것들을 후회 없이 사랑하고 싶었고, 아름다운 것들을 더 보고 담았다. 부지런히 카메라에 담았던 장면들을 또 담는다. 사랑하는 윤슬, 아름다운 미소들, 우리가 사랑하던 장면들이 더해지고 더해졌다.

모든 날이 좋았고 빠짐없이 행복했다. 슬픈 날도 있었지만 마냥 슬프지만은 않았다. 그리고 감사했다. 어쩌면 넘치도록 행복했던 것 같다. 많이 사랑했던 것들, 벌써부터 그리운 것들이 곁에 있다.

사랑을 많이 경험했다. 사랑받고, 사랑하고 아마도 이때를 아주 오랜 시간 그리워하고 고마워하며 살 것 같다. 사랑을 향해 살아가고 싶다. 여전히 어려운 일이지만 아마도 그것이 나의 삶의 모양인 것 같다. 아마 삶에서 가장 빛나는 시간들 중 한때를 보낸 것 같다.

나의 바다가 깊어져 간다.

사랑하고 여행하는 일

누군가의 이야기를 통해 한 번도 가보지 못한 그곳이 궁금해졌다.

당신의 삶을 들으며 그 너머를 기대하게 하는 것, 그것은 여행이었다.

어디가 끝인지 알 수 없지만 발을 내디뎌 보는 것.

여행과 사랑은 그런 점에서 같았다. 길 위에서 숱하게 오가더라도 헤매는 것이 아니라 찾아가는 것이란 것을.

내가 다다라야 할 어딘가도, 내가 머물러야 할 당신의 마음도.

그리고 좀 헤매면 어떨까. 길 위 어디든, 당신 마음속 어디든 말이다.

어쩌면 여행도, 사랑도 헤매지 않고서는 다다르지 못하는 것이 아닐까 생각했다.

이별에도 경력이 있나요

초등학교 4학년이 되던 해였다. 보통 때처럼 교실에서 수업을 하던 날이었다. 선생님께서는 공책에 칸을 그린 다음, 소중한 사람들을 빈칸 안에 채우라고 하셨다. 소중한 사람들의 얼굴을 떠올리며 적었다. 잠시 후, 생각하지 못했던 상황이 생겼다. 함께 배를 탔는데 문제가 생겨 끝까지 함께할 수가 없다는 것이었다. 한 명씩 배에서 내리게 해야 한다고 말씀하셨다.

넉넉하지 않은 칸 탓에 소중한 사람들 중에서도 손에 꼽을 정도만 적었다. 그런데 이마저도 함께 하지 못한다니. 한 명씩 지워가는 상황에서 결국 울음이 터졌다. 빙고 게임 때 한 칸씩 지우는 짜릿함과는 달랐다. 그 과정이 내게는 고통이고 슬픔이었다.

나는 어떤 이유인지 받아들이지 못한 채로 사랑하는 사람들과 헤어지고 있었다. 한 명 한 명과 헤어질수록 슬픔을 주체하지 못해 엉엉 소리 내어 울었다. 친구들은 놀라서 나를 쳐다봤고, 선생님은 감수성이 풍부한 친구들은 울기도 한다고 말씀하셨다. 글쎄, 감수성이 풍부해서인지는 모르겠지만 나는 그날 이후로 이별에 대해 많이 생각했다.

시간이 많이 흐른 지금도 그때 생각을 하면 마음이 저릿하다. 마지막까지 배에 남은 사람은 엄마였다. 아빠도, 오빠도 포기할 수 없었지만 엄마를 끝까지 배에 태웠다. 이유는 있었다. 아빠는 수영을 잘했고, 오빠는 엄마보다는 수영을 잘할 수 있을 것 같아서였다. 그래야 그 긴 바다 끝에서 우리는 만날 수 있을 것 같았다. 어떻게든 다시 만날 것이라는 희망을 가져야만 잔인한 게임을 끝낼 수 있었다.

아마도 그때부터 소중한 이와 내 뜻과는 상관없이 헤어질 수도 있다는 생각을 했던 것 같다. 배를 타는 상황은 어디까지나 가정이었지만, 언젠가 우리가 헤어진다는 사실은 가정이 아니라는 것을 차츰 깨닫고 있었다.

헤어짐에는 여러 이유가 있다. 어떤 이유에서든, 어떤 모습의 헤어짐이든 아프다.

첫 이별은 처음 겪어본 일이기에 면역력이 없어 아프다고들 말한다. 그렇지만 두 번째 이별이 아프지 않다는 말도 없다. 헤어짐은 늘 아픈 것이다. 의연할 수 없고 담담할 수 없는 것이 헤어짐이다.

시간이 흐를수록 우리는 많은 모습의 이별을 경험한다. 어떤 이별도 담담한 이별은 없다.

헤어짐이 담담할 수 없는 이유를 알았다. 당신이 더 이상 내 곁에 없을 수도 있다는 것, 우리가 이전보다 멀어진다는 것과 같은 이유들도 맞지만 무엇보다 큰 이유는 더 사랑하지 못해서였다. 더 사랑해 주지 못해서 미안하다고 말하는 당신의 진심을 들으며 나의 진심이 터져 나왔다. 더 사랑하지 못했던 사람이 이별을 겪으며 더 후회한다는 말이 그제야 실감이 났다.

가장 먼저는 사랑이라고 얘기하며 그동안 더 사랑해 주지 못해 미안하다던 당신의 진심에서 나는 진짜 사랑이 무엇인지를 조금은 배울 수 있었다.

열한 살의 나는 공책 위에서 했던 헤어짐이 아팠다. 그리고 열아홉 살 때 사랑하는 가족과의 이별도 아팠다. 언젠가 사랑하는 사람과의 이별도 아팠다. 그렇게 숱한 헤어짐을 겪어 왔다. 시간은 계속 흘렀지만 나의 헤어짐은 좀처럼 달라지지 않았다. 더 성숙하게 헤어짐을 맞이하지 못했고, 익숙하게 받아들이지도 못했다. 나는 여전히 열한 살 때처럼 아팠고 울어야 했다. 마음을 다했던 만큼이나 마음을 다해 슬퍼했다.

그래서 나는 우리가 함께하는 동안 당신을 더 사랑하기로 했다. 헤어짐의 가장 슬픈 이유가 적어도 더 사랑하지 못함이 아니도록 말이다.

여전히 나는 이별 앞에서 울지만 그래도 지난 이별보다 한 가지 나아진 것이 있다. 만나고 행복했고, 헤어지고 슬퍼했던 순간들이 쌓여온 삶 속에서 지금 이 순간도 흘러가는 시간 속 한순간이라는 것을 알게 된 것이다. 오늘 헤어지고 슬퍼했다면, 내일은 만나고 행복할 차례라는 것이다.

어쩌면 삶은 매일이 스치듯 안녕하며 이별하는 일의 연속이 아닐까. 우리는 세상이라는 곳에서 많은 것들을 스치고 만나고, 이별하며 매일을 살고 있다. 잦은 이별이 두려워, 헤어지는 일에 조금이라도 무뎌질 수 있다면 어떨지 생각해 본다. 그건 아마도 사랑에도 무뎌지는 슬픈 일을 만들지도 모른다. 마음을 다해 무언가를, 누군가를 사랑했던 만큼 그것과 헤어지는 시간과도 마음을 다해 슬퍼하는 일이 당연한 일일 테니.

이별에 익숙해지고 헤어짐에 무뎌지기를 바라며 살지는 말까 봐요.

마음이 무뎌지고 굳어가는 일이 나는 너무 슬프거든요.

손으로 하는 일들에 영감과 능력이 더해지기를 오랜 시간 기도해왔습니다. 그리고 그런 일들을 통해 사랑이 흘러갔으면 좋겠다고 기도했어요.

글을 쓰고, 피아노를 치고, 요리를 하는 단 세 가지의 일을 빼고는 거짓말처럼 손재주가 없습니다. 그러고 보니 지금은 피아노를 치지 않은지 오래되어 그마저도 두 가지가 되었네요.

글과 요리 역시도 제 스스로 재주라고 할 수는 없겠어요.

제 글을 읽어주시고, 저의 음식을 드셔주시는 분들에게 달린 기도 응답일지도 모르겠습니다. 하나님 부디 제 기도를 들어주셨기를 바라며.

특별하다거나 뛰어나지는 않지만, 좋아하는 일을 함께 나눌 수 있다는 것도 제게는 충분한 기쁨이 되는 것도 사실입니다.

아무튼 저는 기계를 다루는 재주도 없고, 그 흔한 이케아 사다리 하나도 조립하는 데 꽤 시간이 걸립니다. 그런 저에게 남은 두어 가지의 일이 어느새 저의 삶을 이루고, 채우고 있습니다.

여전히 무엇이 될 수 있을지는 모르겠습니다. 아마도 평생 무엇이 되기 위해 애를 쓰는 일이 삶일지도 모르겠어요. 그럼에도 삶은 자주 충만해집니다.

여행에서 만난 사람들, 식탁에서 만난 우리들, 사랑을 주고받았던 이들에게 감사를 전합니다. 아주 행복했고, 많이 그리워요. 부디 몸과 마음 건강하시기를 바라요.

별것 아닌 저의 이야기를 기다려주고, 늘 응원해 주는 소중한 마음들에게도 사랑을 보냅니다. 문득 삶을 잘 살아왔던 것인지 생각할 때면, 곁에 있는 사람들을 보며 위로를 얻습니다. 그리고 삶을 더 잘 살아내야겠다고 생각합니다.

저의 삶에 함께해 주셔서 감사합니다.

언제나 그렇듯 저는 여행과 식탁, 사랑이면 충분할 것 같아요.

이곳에서 사랑과 감사를 보내며

우리가 여행하고, 식탁에서 깊어지고, 사랑하는 날이 머지 않았음을 기다리고 기대할게요.

여행 식탁 사랑

초판 1쇄 발행 2023년 08월 30일
초판 2쇄 발행 2023년 10월 10일
초판 3쇄 발행 2024년 03월 01일

글/사진 장연지
디자인 브라이튼워크
펴낸곳 마음과 문장
출판등록 2023년 8월 11일 제 2023-000019호
이메일 jyj2603@naver.com

ISBN 979-11-984268-0-2